CASTELL
MARWOLAETH
BOENUS
AC ERCHYLL

Argraffiad cyntaf: Mai 1996
⊕ Hawlfraint Y Lolfa Cyf., 1996

Cyhoeddwyd dan gynllun comisiynu
Cyngor Llyfrau Cymru.
Dymuna'r cyhoeddwyr gydnabod cymorth
adrannau Cyngor Llyfrau Cymru.

Llun y clawr: Dafydd Morris

Rhif Llyfr Rhyngwladol: 0 86243 377 0

Cyhoeddwyd yng Nghymru
ac argraffwyd ar bapur di-asid a rhannol eilgylch
gan Y Lolfa Cyf., Talybont, Ceredigion SY24 5HE
e-bost ylolfa@netwales.co.uk
y we http://www.ylolfa.wales.com/
ffôn (01970) 832 304
ffacs 832 782.

CASTELL MARWOLAETH BOENUS AC ERCHYLL

ROLANT ELLIS

Er cof am Mali

PENNOD UN

EISTEDDODD SAM y Ci Defaid wrth ei ddesg, a sychodd ei dalcen â'i bawen. O'r diwedd, roedd wedi gorffen marcio'r papurau arholiad! Fel Prif Arholwr Cŵn Defaid Cymru, ei ddyletswydd ef oedd marcio papurau arholiad yr holl gŵn defaid bach oedd eisiau bod yn gŵn defaid go iawn.

Gan ei fod wedi gorffen ei waith, penderfynodd Sam ei bod yn bryd iddo fynd ar ei wyliau. Roedd ganddo berthynas yn Romania, ac roedd hi'n canmol y wlad byth a beunydd. Shân oedd ei henw – Shân Fach, gwraig y Llysgennad Prydeinig yn Romania. Perthynas bell oedd hi i Sam; roedd y ddau yn hoff iawn o'i gilydd, ac roedd Sam wedi addo iddi y buasai'n galw i'w gweld rhyw ddydd.

Paciodd Sam ei gês, daliodd dacsi i Faes Awyr Cymru, Caerdydd, ac wedi dangos ei basport, camodd ar yr awyren a hedfan i brif faes awyr Bucharest yn Romania. Yno, wedi glanio, fe gymerodd dacsi i'r Llysgenhadaeth Brydeinig i weld y Llysgennad a'i wraig. Arhosodd gyda hwy am y noson gyntaf, ond wedyn, gan ei fod am weld peth o'r wlad, bwriad Sam oedd symud ymlaen.

"Mae croeso i ti aros efo ni," meddai Andy, gŵr Shân. "Rydyn ni'n bwriadu teithio'r wlad mewn rhyw ddiwrnod neu ddau, pan fyddwn wedi gorffen bwyta yr holl siocled sydd yn y tŷ. Beth am i ti ddod gyda ni?"

"Diolch yn fawr, Andy," meddai Sam yn gwrtais, "ond dim ond wythnos o wyliau sydd gen i, ac mae arna i eisie gweld tipyn o Romania. Fe af ymlaen bore fory; oes yna rhyw ddarn arbennig o'r wlad y dylwn ei weld?"

"Wel," meddai Shân, "mae Transylfania yn lle hyfryd yn ôl pob sôn; mae sawl aelod o'n staff wedi bod yno ar eu gwyliau. I ddweud y gwir, mae'n rhaid eu bod yn hoff iawn o Dransylfania; dim ond eu hanner sydd wedi dychwelyd! Mae'n siŵr fod y gweddill wedi penderfynu aros yno."

"Mae Transylfania yn swnio'n ddelfrydol," meddai Sam gan wenu.

Felly, yn gynnar y bore trannoeth, daliodd Sam y trên i Transylfania, gan fwriadu treulio noson neu ddwy yno.

Wedi cyrraedd, aeth at y gwesty agosaf, sef castell mawr, tywyll, bygythiol yr olwg ar ben mynydd uchel, gyda storm o fellt a tharanau yn hongian o gwmpas yn y cefndir. Canodd Sam y gloch, ac arhosodd am ateb.

"CREEEEEEEAK!" meddai'r drws, ac wrth iddo agor daeth wyneb gwelw, ffiaidd, cas i'r golwg.

"Oes gennych chi ystafell am y nos?" gofynnodd Sam yn betrusgar.

"Nac oes, mae arna i ofn," meddai perchennog yr wyneb a ddisgrifiwyd uchod. "Mae'r gwesty'n llawn o ddynion busnes yn gwerthu bwyd cathod."

"Rwy'n gweld," meddai Sam, gyda pheth rhyddhad (nid oedd yn hoffi golwg y dyn). "Tybed wyddoch chi am le arall lle galla i dreulio noson?"

"Â phleser," meddai'r gŵr. "Mae 'na le neis iawn rhyw ddwy filltir i ffwrdd – 'Castell Marwolaeth Boenus Ac Erchyll I Bawb Sy'n Ddigon Ffôl I Feddwl Am Aros Yma' yw'r enw. Am ryw reswm, does dim llawer o bobol yn aros yno. Rydw i wedi dweud wrth y perchennog y dylai ystyried newid yr enw i 'Tegfan' neu rywbeth tebyg, ond dyw e ddim yn gwrando arna i. Dywedwch fy mod i wedi ei recomendio i chi."

"Diolch yn fawr," meddai Sam. "Beth yw'ch enw chi?"

"O, CREEEEEEEAK yw f'enw i. Mae gen i ddrws clyfar sy'n cyhoeddi f'enw bob tro mae rhywun yn galw. Efallai eich bod wedi'i glywed."

Aeth Sam ymaith i gyfeiriad Castell Marwolaeth Boenus Ac Erchyll I Bawb Sy'n Ddigon Ffôl I Feddwl Am Aros Yma. Er nad oedd yr enw'n ddelfrydol, meddyliai'n siŵr fod y gwesty yn un digon derbyniol. Cyn hir roedd wedi dod at ddrws y Castell. Gwelodd yr arwydd "Gwely a Brecwast" yn un o'r ffenestri. Curodd y drws â'i bawen.

Ymhen ychydig, agorodd y drws, ac yno safai'r dyn hyllaf a welodd Sam erioed. Roedd ganddo drwyn mawr, cam; dau lygad croes; clustiau fel carpedi wedi eu gorddefnyddio; ceg llofrudd; gwallt hir, budr fel brws llawr; mwstás du a brown fel teithiwr yr oes

newydd; dannedd melyn, bylchog; a chroen fel banana wythnos oed. Gwisgai siaced frown a oedd yn rhy dynn; trowsus oren a phinc ail-law a oedd yn rhy fawr; crys melyn a glas nad oedd yn ffitio; tei gwyrdd gyda streipiau porffor a smotiau llwyd; esgid bêl-droed goch ar un droed a slipar wen ar y llall. Roedd maneg focsio ar ei law dde ac ambarél hanner-agored yn y llaw chwith. Ar ei ben gwisgai het ddu gyda thwll mawr ynddi – twll a edrychai i Sam fel twll bwled. Roedd arogl wyau drwg arno, ac nid oedd ei ddillad wedi gweld fflat smwddio ers deng mlynedd o leiaf, na'r gŵr ei hun wedi dod i gysylltiad â sebon erstalwm. Roedd ganddo draed mawr, fflat, "chwarter i dri," breichiau hir a chorff fel epa, a siglai ar ei draed fel dyn meddw.

"Nefi blw," meddai Sam wrtho'i hun. "Beth ar wyneb y ddaear yw peth fel hwn?"

"Wel," meddai'r dyn hyll mewn llais sarrug. "Pwy wyt ti, a pham wyt ti'n curo'r drws 'ma?"

"Ym. . .yy. . .ai chi yw perchennog y gwesty 'ma?" gofynnodd Sam.

"Nage," ebe'r horwth, "fi yw y risepshonist, Zoltan. Cefais fy newis o achos fy harddwch a'm lledneis-rwydd," meddai, gan boeri ar y llawr a sychu ei drwyn hir, di-siâp ar lawes ei siaced.

"Rwy'n gweld," meddai Sam. "Oes gennych chi stafell i mi at heno? Fel y gwelwch, mae'n mynd yn hwyr ac mae 'na storm o fellt a tharanau yn ceisio cuddio rownd y gornel. Fe hoffwn gael eich stafell orau, a phryd o fwyd, os gwelwch yn dda."

"TIMOLEON!" Gwaeddodd Zoltan ar dop ei lais aflafar. Daeth hen, hen ŵr i'r golwg. Roedd barf wen, hir ganddo; roedd ei gefn yn gam; cerddai'n araf a herciog; roedd yn crynu wrth sefyll. Yn amlwg, roedd yn hen iawn, iawn.

"Mae'r ci yma eisie aros dros nos," meddai Zoltan wrth yr hen ŵr. "Oes ganddon ni stafell wag?"

Edrychodd Timoleon ar Sam am bron i ddwy funud cyn dweud, mewn llais crynedig, "Rhaid i mi ofyn i tad-cu." Aeth ymaith yr un mor araf a herciog i'r cefn.

"Esgusodwch fi," meddai Sam, mewn peth

penbleth. "Faint yw oed Timoleon?"

"Tua 95," meddai Zoltan yn swta.

"Wel, faint yw oed ei daid, 'te?" gofynnodd Sam.

"Mae e'n tynnu 'mlaen erbyn hyn, rwy'n amau," oedd yr unig ateb a gafodd Sam gan y risepshonist.

Safodd y ddau gan edrych ar ei gilydd; Sam yn ceisio bod yn gyfeillgar a gwenu, a Zoltan yn gwgu a phigo'i drwyn.

Ymhen hir a hwyr, daeth Timoleon yn ôl. "Mae eich stafell yn barod, Syr," meddai mewn llais crynedig wrth Sam. "Fe fydd Hagi y gwas yn mynd â chi yno nawr."

Arhosodd Sam yn nerfus i weld pa fath olwg oedd ar y gwas. Cafodd syndod pan ymddangosodd Hagi – roedd yn ddyn eitha cyffredin, ond braidd yn dwp yr olwg, efallai. Edrychodd Zoltan ar y gwas.

"Hagi," meddai, "dos â'r ci 'ma i'r Ystafell Goch." Edrychodd Hagi yn syn ar Zoltan.

"Beth?" gofynnodd yn betrusgar.

"Dos â'r ci 'ma i'r Ystafell Goch!" meddai Zoltan eto.

"Y. . . pa gi, Meistr?" gofynnodd Hagi, mewn penbleth.

"Hwn!" gwaeddodd Zoltan, gan bwyntio at Sam. "Y ci 'ma sy'n sefyll o'th flaen di."

"Ydi e'n eich poeni chi, Meistr? Hoffech chi i mi gael gwared ohono?" gofynnodd Hagi.

"Nage, y twpsyn diwerth! Rydw i am i ti fynd ag e i'r Ystafell Goch! Mae'n aros yno dros nos."

"Pwy, Meistr?"

"Y ci defaid 'ma!"

"Beth amdano fe?" gofynnodd Hagi.

"DOS AG E I'R YSTAFELL GOCH!" meddai Zoltan ar dop ei lais.

"O! Iawn! Rwyf i ollwng y ci 'ma allan ar unwaith!"

"NA, DOS AG E I'R YSTAFELL GOCH!"

"O! Ie! Mynd â'r ci 'ma ar unwaith i'r. . .i'r ystafell. . .ym, yy, pa ystafell yn union ddwedsoch chi, Meistr?"

"YR YSTAFELL GOCH, Y BWBACH AFLEDNAIS! DOS Â'R CI YMA I'R YSTAFELL GOCH AR UNWAITH!"

A chiciodd Zoltan Hagi yn ddiseremoni tuag at y cyfeiriad iawn. Dilynodd Sam y gwas ar hyd y coridorau tywyll, hir, nes iddo bron â cholli'r ffordd. Yna, arhosodd Hagi yn stond yn ei unfan.

"Beth sy'n bod?" gofynnodd Sam iddo.

"Ym. . .i ble ryn ni'n mynd, gwedwch?" gofynnodd Hagi. "Rydw i wedi anghofio."

"Wel, i'r Ystafell Goch, rwy'n credu," meddai Sam.

"O, ie, yr Ystafell Goch," meddai Hagi. "Nawr 'te, ble mae honno, tybed?" Crafodd ei ben am beth amser. Yna, trodd ar ei sawdl ac edrych yn syn ar Sam. "Pwy ydych chi?" gofynnodd.

"Sam. . ." meddai'r ci defaid, ond cyn iddo allu dweud gair arall, dechreuodd Hagi redeg i ffwrdd.

"Sori," gwaeddodd, "ond rydw i newydd gofio rhywbeth pwysig. Rwy'n gorfod mynd â rhywun i'r

Ystafell Goch ar unwaith."

Ceisiodd Sam ei ddilyn, ond gan ei fod yn cario cês trwm, roedd Hagi wedi diflannu cyn i'r ci gael ei wynt ato. Eisteddodd Sam i lawr ac edrych o'i gwmpas. O'i flaen roedd drws mawr, cadarn, gyda'r geiriau DRWS YSTAFELL GÊMAU arno. Edrychodd Sam ar y drws.

"Hoffet ti gael gêm?" meddai llais dwfn.

Edrychodd Sam o'i gwmpas yn syn. Doedd neb i'w weld yn unman.

"Pwy siaradodd?" gofynnodd Sam.

"Fi. Y drws," meddai'r drws. "Fe allwn ni gael gêm o wyddbwyll neu *Scrabble*."

"Diolch," meddai Sam yn gwrtais. "Ond fe hoffwn fynd i'r Ystafell Goch i orffwys. Sut mae mynd yno, os gwelwch yn dda?"

"Rhaid i ni chwarae gyntaf," ebe'r drws. "Fe ddyweda i wrthyt ti ble mae'r Ystafell Goch, os galli di fy nghuro."

Ac felly y bu: cawsant gêm ddifyr o *Monopoly*, a Sam oedd yn fuddugol. Wedi iddo guro'r drws, aeth i mewn i'r ystafell, heb wybod beth oedd yn ei ddisgwyl yno.

14

PENNOD DAU

PAN AETH SAM i mewn i'r ystafell, gwelodd olygfa hollol annisgwyl. Roedd dynes fawr, dew yn eistedd ar gadair siglo yn bwyta melysion. Camodd Sam ymlaen, a dywedodd, "Esgusodwch fi," wrth y ddynes. Edrychodd hi arno gyda diddordeb.

"Helo, bach!" meddai hi. "Pwy wyt ti?"

"Sam yw f'enw," atebodd. "Wyddoch chi sut y galla i fynd i'r Ystafell Goch? Dyna yw f'ystafell yn y gwesty 'ma."

"Rwy'n gweld," meddai'r ddynes. "Gyda llaw, Bet yw f'enw i. Fe ddes i yma gyda'm gŵr; mae e'n Fet."

"O, chi yw Bet efo'r Fet; rwyf wedi clywed amdanoch chi," meddai Sam.

"Wyt ti'n mwynhau aros yn y castell 'ma?" gofynnodd Bet.

"Wel, newydd gyrraedd ydw i," meddai Sam. "Dydw i ddim wedi cael amser i benderfynu'n iawn eto. Sut le sydd 'ma?" Ond cyn iddo gael ateb, daeth Zoltan i mewn, yn edrych yn ddigon blin.

"Beth wyt ti'n wneud yma?" holodd yn sarrug. "Pam nad wyt ti yn yr Ystafell Goch?"

Ceisiodd Sam egluro. "Fe redodd Hagi i ffwrdd. . ." dechreuodd, ond torrodd Zoltan ar ei draws.

"Does dim amser i hynny nawr. Fe wnaf i'n siŵr

dy fod yn mynd i'r Ystafell iawn y tro yma. Bydd tad-cu Timoleon yn mynd â thi yno ar ôl i mi ei alw."

Canodd y ffôn yng nghornel yr ystafell. "Calon Lân" oedd y gân; ymunodd Sam a Bet yn y cytgan, ond dim ond ysgyrnygu a gwgu wnaeth Zoltan. Wedi iddynt orffen, trodd Bet at Zoltan.

"Dyna ganu braf, yntê, Zoltan?" meddai. "Wyt ti'n meddwl fod gobaith i ni gystadlu fel triawd yn Eisteddfod y pentre?"

"Paid â siarad yn ddwl, ddynes," meddai Zoltan yn flin. "Does dim y fath beth ag Eisteddfod yn Nhransylfania." Cododd y ffôn, gan ei rybuddio i beidio â chanu eto. Deialodd rif, ac yna gwaeddodd i lawr y ffôn, gan ddweud, "Gyrrwch rywun i'r Ystafell Gêmau ar unwaith. Mae angen mynd â'r ci yma i'r Ystafell Goch. Ac mae e eisie pryd o fwyd yn ei stafell hefyd. Gwnewch yn siŵr fod y cogydd yn effro."

"Diolch yn fawr," meddai Sam wrtho. "Rwy'n barod am bryd o fwyd. Beth sydd ar y fwydlen, os gwelwch yn dda?"

"Mae dewis ardderchog o fwyd," meddai Zoltan, a oedd am unwaith yn swnio'n weddol gyfeillgar. "Mae ein cogydd yn arbenigwr tan gamp. Fe yrraf y fwydlen i'ch stafell."

Daeth gŵr ifanc bywiog, effro yr olwg i mewn i'r stafell. Gwisgai jîns a chrys-T glân, ac ar ei ben roedd cap pêl-fâs ffasiynol.

"Shwmai, Zolt!" meddai. "Beth wyt ti am i mi'i

wneud?"

"Dos â'r ci yma i'r Ystafell Goch," meddai Zoltan yn swta.

"Iawn, gw-boi," meddai'r llanc. "Dere 'mlaen, Gi. Beth yw d'enw di?"

"Sam," atebodd y ci. "Beth yw eich enw chi?"

"Rap yw f'enw i. Fi yw tad-cu Timoleon."

Synnodd Sam. Roedd Rap yn llanc ifanc, yn ei arddegau hwyr, a Timoleon, ei ŵyr, yn edrych fel rhywbeth allan o Arch Noa. Cyn iddo gael cyfle i ofyn am eglurhad, aeth Zoltan ymaith, a Bet gydag ef. Edrychodd Sam ar Rap. "Sut. . ." dechreuodd, ond torrodd Rap ar ei draws.

"Fe af i â'r cesys yma, Sam; dim ond un iaith mae cesys yn ddeall." Cododd y cesys trwm yn ddi-ymdrech, ac aeth drwy ddrws arall. Dilynodd Sam ef. Roedd Rap yn gyfeillgar a siriol, yn siarad yn ddi-stop. Dywedodd nad oedd Hagi'n glyfar iawn, a'i fod yn aml yn mynd ar goll yn ei stafell wely ei hun. Roedd Zoltan, yn ôl Rap, yn "hen foi iawn" fel rheol. "Ond dyw e ddim ar ei orau heddiw. Mae newydd glywed nad yw wedi cael ei ddewis yn bêl-droediwr y flwyddyn, ac mae wedi siomi. Paid â bod ofn Zoltan. Dim ond un iaith mae Zoltan yn ddeall."

"Ydi Zoltan yn chwarae pêl-droed?" gofynnodd Sam yn syn.

"Nac ydy," oedd ateb Rap.

"Wel, pam. . ." dechreuodd Sam unwaith eto, ond cyn iddo orffen holi Rap, dyma nhw'n cyrraedd yr

Ystafell Goch.

Roedd yr Ystafell Goch yn anferth; gwelodd Sam
wely dwbl enfawr mewn un cornel, a dodrefn crand
ym mhob man. Ar y wal, roedd llun mawr, ac roedd
digon o le yn yr ystafell i chwarae pêl-droed pump-
bob-ochor.

"Fe fyddi di'n gyfforddus iawn yma," meddai Rap.
"Dyma'r stafell orau yng Nghastell Marwolaeth
Boenus Ac Erchyll I Bawb Sy'n Ddigon Ffôl I Feddwl
Am Aros Yma. Ac fe ddaw'r fwydlen cyn pen dim.
Cofia ofyn am y stêc. Mae'r cogydd yn gwneud stêc

grêt. Os wyt ti eisie unrhyw beth, cana'r gloch wrth dy wely. Dim ond un iaith mae'r clychau 'ma'n ddeall. O, ie, un peth arall; os clywi di sŵn od yn y nos, yr ysbryd fydd e. Paid â phoeni amdano fe; mae e'n diflannu ond i chi ei anwybyddu. Dim ond un iaith mae'r ysbrydion 'ma'n ddeall." Ac aeth Rap allan.

Cyn bo hir, curodd rhywun y drws. Aeth Sam i'w ateb heb wybod beth fyddai'n ei ddisgwyl. Safai dynes ganol oed yno; roedd ganddi fwydlen yn ei llaw.

"Ann yw f'enw i," meddai. "Rwyf wedi dod â'ch bwydlen i chi. Beth hoffech ei gael i ginio? Mae digon o ddewis."

Dewisodd Sam fwyd, a chyn bo hir daeth Ann yn ôl gan gario cinio arbennig o flasus. Arhosodd yn yr ystafell tra oedd Sam yn bwyta ei gawl, stêc a tharten fwyar duon gyda hufen, a siaradodd yn gyfeillgar ag ef. Dywedodd ei bod hi a'i gŵr, Todor, yn hoffi gweithio yn y castell.

"Todor Ioddefol yw ei enw llawn," meddai Ann. "Fe yw'r hwsmon." Nid oedd Sam yn gwybod beth oedd hwsmon, ond roedd yn swnio'n gymharol ddiniwed.

Daeth Rap yn ôl i'r ystafell, a bu'r tri – Sam, Rap, ac Ann Ioddefol – yn siarad fel hen gyfeillion am amser. Gan eu bod yn gymaint o ffrindiau erbyn hyn, penderfynodd Sam ofyn cwestiwn iddynt; cwestiwn oedd wedi bod yn achosi penbleth iddo ers amser.

"Pam maen nhw'n galw'r ystafell hon yn 'Ystafell Goch'? Does dim byd coch yma o gwbwl."

Edrychodd Ann a Rap braidd yn anghyfforddus.

"Wn i ddim," meddai Ann. "Nid o achos unrhyw lofruddiaeth sy'n digwydd i bawb sy'n treulio noson yma, yn sicr; o na, nid hynny – rhyw reswm arall, nid llofruddiaeth o gwbwl."

Edrychodd Rap yr un mor anghysurus, ond ceisiodd roi eglurhad i Sam.

"Ym. . .y. . .ym. . .achos. . .achos. . .achos bod yr haul yn gwneud iddi edrych yn goch yn y bore. Ie, dyna ni, o achos yr haul! Nid am fod gwesteion yn cael eu llofruddio yma yn gyson, yn bendant!"

"Ond does yr un ffenest yn yr ystafell," meddai Sam, a oedd yn dechrau anesmwytho. "Sut mae'r haul yn dod i mewn?"

"A! Cwestiwn da! Ym. . .wel. . .Diar annwyl! Ydi hi mor hwyr â hyn yn barod?" Edrychodd Rap yn frysiog ar ei oriawr. "Rhaid i ni fynd! Hwyl fawr!" A rhedodd allan o'r Ystafell Goch, yn tynnu Ann gydag ef gerfydd ei braich, gan adael Sam yn crafu ei ben mewn penbleth. Nid oedd yn credu eglurhad Rap ac Ann Ioddefol am eiliad.

Erbyn hyn penderfynodd Sam ei fod wedi cael digon. Cododd y ffôn oedd wrth ei wely er mwyn gofyn am dacsi i fynd yn ôl i'r orsaf. Zoltan atebodd y ffôn, a dywedodd y byddai'n gyrru rhywun yno ar unwaith, ac, yn wir, o fewn ychydig, daeth morwyn arall i mewn i'r ystafell. Holodd Sam iddi beth oedd ei henw.

"Ann yw f'enw i," atebodd y forwyn. "Fi yw gwraig

y cogydd, a'i enw ef yw Sodor Arferol."

"Fedrwch chi ddweud wrtha i, Ann, sut mae cael gafael ar dacsi?" gofynnodd Sam. "Rydw i wedi cael llond bol ar y Castell 'ma, ac rwy'n awyddus i fynd adref ar unwaith."

"Tacsi? Ha! Does neb yn yr ardal yma'n meiddio mynd allan ar ôl iddi dywyllu!" ebe Ann, gan chwerthin yn ddirmygus. "Mae gormod o ofn arnyn nhw."

"Ofn beth? Ofn yr ysbryd? Y Castell? Zoltan?" gofynnodd Sam.

"Na, ofn colli 'Pobol y Cwm' ar y teli. Mae e'n boblogaidd iawn yn Nhransylfania," atebodd Ann. "Does dim gobaith cael tacsi heno. Well i ti aros yma tan fory. Hwyl nawr."

Rhedodd Ann allan; roedd Sam yn siŵr iddo glywed allwedd yn cael ei throi yn y clo, a phan geisiodd agor y drws, roedd wedi'i gloi!

PENNOD TRI

Ceisiodd Sam agor y drws mawr, trwm, ond nid oedd yn symud. Roedd Ann Arferol wedi'i gloi. Edrychodd Sam o'i gwmpas am ffordd i ddianc o'r Ystafell Goch, ond er ei holl ymdrechion, ni welodd yr un. Penderfynodd eistedd yn y gadair freichiau i feddwl. Doedd yr un ffenest yn yr ystafell, a dim ond un drws, a hwnnw'n un mawr, trwchus, ac wedi'i gloi. Doedd dim i'w wneud ond cysgu am ychydig. Fel pob ci, roedd Sam yn cysgu ag un llygad yn agored, felly nid oedd yn poeni am ymosodiadau yn ystod y nos. Gwnaeth ei hun yn gyfforddus yn y gadair freichiau. Nid oedd am gysgu yn y gwely; gan nad oedd ei hoff fasged ganddo, roedd am gysgu ar gadeiriau tra oedd ar ei wyliau.

Wedi awr neu ddwy, roedd Sam yn cysgu'n braf, ond deffrodd pan glywodd sŵn rhywun yn ceisio agor y drws. Swatiodd yn y gadair freichiau, a gwelodd rywun yn dod i mewn i'r ystafell – dau berson, a'r rheiny'n cerdded yn llechwraidd at y gwely!

Clywodd un o'r ddau yn sibrwd, "Rho'r gyllell i mi, Hagi; dim ond un iaith mae'r cŵn 'ma'n ddeall," a llais arall yn dweud yn uchel iawn, "Pa gyllell, Meistr?"

"Y gyllell hir, finiog 'na roddais i ti bum munud yn ôl."

"O, y gyllell yna! Nawr 'te, ble mae hi, tybed?"

"Paid â gwastraffu amser, Hagi! Rho'r gyllell i mi ar unwaith! Fe fydd y ci yn deffro cyn bo hir."

"Pa gi, Meistr?"

"Rwy'n dy rybuddio di! Rho'r gyllell i mi nawr."

"Ym. . . ym. . . rwy wedi gadael y gyllell yn rhywle."

"Y ffŵl di-glem! Sut mae disgwyl i ni ladd y ci 'ma heb gyllell? Dos o 'ngolwg i! Dim ond un iaith mae pobol fel ti'n ddeall!"

Aeth y ddau allan yn ddistaw, ond wedi iddynt adael, clywodd Sam sŵn y tu allan i'r drws; sŵn fel rhywun yn cael ei gicio'n ddidrugaredd i fyny ac i lawr y coridor.

Aeth Sam yn ôl i gysgu; cysgodd yn dawel am rai oriau, ac yna clywodd sŵn yn dod o gyfeiriad y wal. Roedd rhywbeth yn digwydd, ond beth? Edrychodd yn ofnus ar y wal; gwelodd siâp od yn ymddangos. Roedd yr ysbryd yn dod! Ysbryd mawr, gwyn, yn griddfan yn uchel ac yn edrych o'i gwmpas yn gas – yn edrych ar Sam!

"PWY WYT TI?" gwaeddodd yr ysbryd ar Sam.

"Sam yw f'enw i," atebodd Sam, gan geisio edrych yn siriol ac eofn. "Beth yw eich enw chi?"

"Ynos yw f'enw i. Fi yw prif ysbryd y castell hwn. Rwy'n treulio fy oriau hamdden yn deffro pobol sy'n ceisio cysgu."

"Y prif ysbryd? Oes ysbrydion eraill i'w cael yn y castell, 'te?"

"O oes, digon. Ond dyw'r ysbrydion eraill ddim yn crwydro rhyw lawer. Maen nhw'n rhy brysur yn cario

eu pennau o dan eu ceseiliau ac yn dweud jôcs gwirion wrth ei gilydd."

Ni wyddai Sam beth i'w ddweud. Roedd y castell yn edrych yn debycach i wallgofdy bob munud. Efallai y gallai'r ysbryd ei helpu i ddeall y lle, meddyliai, ond gwelodd fod Ynos yn edrych arno fel pe bai'n disgwyl am rywbeth.

"Hoffech chi baned o de?" cynigiodd Sam (roedd yn teimlo'n dwp yn cynnig te i ysbryd, ond ci cwrtais iawn oedd Sam).

"Dim diolch; dyw ysbrydion ddim yn yfed te. Fe gymeraf ddiod o laeth, os gwelwch yn dda."

Nid oedd gan Sam laeth, felly canodd y gloch i alw am un o'r morynion, ac o fewn dim, daeth dynes ifanc ar ei alwad.

"Ann yw f'enw i," meddai'r forwyn. "Beth alla i wneud i chi?"

"Hoffwn gael peint o laeth, a dau gwpan, os gwelwch yn dda," meddai Sam.

Aeth Ann i nôl y ddiod, ond sylwodd Sam ei bod hithau hefyd wedi cloi'r drws ar ei hôl. Trodd at yr ysbryd, a gofyn iddo, "Pam mae pawb yn cloi'r drws?"

Edrychodd yr ysbryd yn syn arno. "Wn i ddim yn iawn," atebodd. "Efallai eu bod yn ceisio cadw ysbrydion fel fi rhag dianc."

"Ond rwyt ti'n dod i mewn trwy'r wal!" ebe Sam. "Gwastraff amser yw cloi drws i gadw ysbrydion i mewn!"

"Doeddwn i erioed wedi meddwl am hynny,"

meddai'r ysbryd. "I feddwl fod drysau wedi eu cloi wedi fy nghaethiwo drwy'r blynyddoedd! Diolch yn fawr am dy gyngor." Ac fe ddiflannodd yr ysbryd drwy'r wal, heb ateb yr un o gwestiynau Sam druan.

Galwodd Sam, "Ysbryd Ynos, tyrd yma nawr," arno, ond ni ymddangosodd drachefn.

Daeth Ann i mewn, yn cario jwg o laeth. "Dyma eich llaeth, syr," meddai'r forwyn.

Cymerodd Sam y jwg, ac yfodd ychydig o'r llaeth. Roedd yn dda. "Diolch yn fawr, Ann," meddai. "Gyda llaw, faint yw hi o'r gloch?"

"Bron yn hanner awr wedi saith," atebodd Ann. "Hoffech chi gael brecwast? Fe ofynnaf i i'r forwyn ddod â brecwast i chi nawr. Fe gewch chi frecwast heb ei ail; rwy'n gwybod hynny, am mai fy ngŵr, Tolthan Igonol, sy'n gwneud brecwast yn y castell yma, ac mae e'n gwneud brecwast ardderchog."

"O'r gorau; fe gymeraf frecwast, ac yna fe dalaf fy mil a mynd. Dydw i ddim am dreulio rhagor o amser yn y castell yma."

"Iawn, syr," meddai Ann, ac aeth allan.

Cafodd Sam frecwast, ac nid oedd Ann Igonol wedi gor-ddweud; roedd y bwyd yn arbennig. Daeth morwyn arall i nôl y llestri, a gofynnodd Sam iddi alw Zoltan neu Rap er mwyn iddo dalu ei fil a mynd.

"Mae'r ddau ohonyn nhw'n brysur ar y foment, syr," atebodd y forwyn, "a dydw i ddim yn cael delio efo arian." Pwysodd yn nes at Sam a sibrwd yn ei glust, "Maen nhw'n amau fy mod i'n dwyn, ond dydw i ddim, wir! Nhw sy'n drysu."

"Pam maen nhw'n dy amau?" gofynnodd Sam. "Beth yw d'enw, gyda llaw?"

"Ann yw f'enw – Ann Onest. Wn i ddim pam maen nhw'n fy amau."

Meddyliodd Sam am funud. Yna, dywedodd wrth Ann am fynd ag ef i swyddfa Zoltan er mwyn iddo ffonio am dacsi i'w gludo oddi yno. Ufuddhaodd y forwyn, ac aethant allan o'r Ystafell Goch gyda'i gilydd.

Bu'n rhaid iddynt gerdded am hydoedd, ond o'r diwedd daethant ar draws Zoltan. Nid oedd wedi newid ei ddillad ers y diwrnod cynt, ac nid oedd golwg arno fel petai wedi ymolchi chwaith. Edrychodd yn syn ar Sam, ond ni ddywedodd ddim.

"Fe hoffwn i dalu fy mil nawr, os gwelwch yn dda," meddai Sam wrtho. "Rydw i am fynd oddi yma."

"Allwch chi ddim mynd," meddai Zoltan yn gyflym. "Mae llifogydd ofnadwy y tu allan, y tir i gyd o dan ddŵr, a'r dyfroedd yn cyrraedd hyd at y drws ffrynt. Dim gobaith o fynd oddi yma. Sori."

"Llifogydd at y drws? Ond mae'r castell yma ar ben mynydd! Sut gall y dŵr fod o flaen y drws ffrynt? Mae'n amhosib!"

"O! Ie! Ym. . . yy. . . wel. . . nid llifogydd roeddwn i'n feddwl! Nage, eira! Mae'r eira yma'n lluwchio! All neb fynd allan o achos yr eira! A'r rhew, hefyd! Mae'r ffyrdd fel gwydr, a phob llyn wedi rhewi'n gorn. Does neb yn gallu mynd mas o'u cartrefi. Biti, ontefe?"

"Eira a rhew? Ond nefoedd wen, ddyn, canol mis Gorffennaf yw hi! Roedd hi'n eitha braf ddoe, ac mae hi'n ddigon cynnes yn y castell 'ma, er nad yw'r gwres canolog ymlaen. Pam wyt ti'n dweud y fath gelwydd?"

"A! Na! Camgymeriad! Nid eira. . . yy. . . ymm. . . niwl! Dyna sy'n achosi'r trafferth! Mae niwl trwchus yn amgylchynu'r castell i gyd! Caddug yn cuddio Transylfania! Neb yn gallu symud modfedd. Mae'n ddrwg gen i, wir."

"Os yw hi mor niwlog, beth yw'r peth melyn 'na sy'n tywynnu yn yr awyr? A pham mae'r olygfa mor glir drwy'r ffenest?"

Edrychodd Zoltan yn anghyfforddus ar Sam. Crafodd ei ben di-siâp am foment, ac yna dywedodd yn betrus, "O diar, . . . nid niwl. . . yy. . . ym. . . ym. . . tirlithriad! Ie, dyna ni, tirlithriad! Mae tirlithriad yn gallu digwydd unrhyw adeg! Mae'r ffordd i lawr y mynydd wedi cau, does neb yn gallu mynd i mewn nac allan. Fe fydd yn rhaid i chi aros yma am sbel. Hen dro."

Nid oedd Sam yn credu Zoltan. "Ga i fynd i weld y tirlithriad, os gwelwch yn dda?" gofynnodd. Ysgydwodd Zoltan ei ben.

"Mae arna i ofn fod carreg fawr wedi rowlio yn erbyn y drws. Does neb yn gallu ei agor. Fe fydd yn rhaid i ni aros nes daw rhywun i'n helpu. Fe gewch aros yma am ddim. Ann, ewch â'r ci yma yn ôl i'w ystafell."

Dim diolch, meddyliodd Sam. Fe allai weld nad oedd Zoltan am ei ryddhau, felly roedd yn rhaid iddo ddianc. Penderfynodd gymryd arno fod popeth yn iawn, ond nid oedd am aros yn yr Ystafell Goch eto.

"Tybed allwn i gael stafell arall? Doeddwn i ddim yn hoffi'r Ystafell Goch."

"O'r gorau – HAGI!!" gwaeddodd Zoltan ar dop ei lais aflafar. Daeth y gwas i mewn. "Dos â'r ci 'ma i'r Ystafell Ddu," meddai Zoltan wrtho.

"Iawn, Meistr," atebodd Hagi, ac yna safodd yn llonydd gan grafu ei ben. "Sut mae'r ci yn dal yn fyw?" gofynnodd Hagi. "Roeddwn i'n meddwl eich bod yn mynd i. . ."

"Dyna ddigon! Llai o'r clebran 'ma!" Torrodd Zoltan yn frysiog ar draws Hagi. "Dos ag ef i'r Ystafell Ddu."

"Pwy?"

"O, paid â dechrau'r nonsens yna eto! DOS Â'R CI 'MA I'R YSTAFELL DDU! Fe sgrifennaf y neges i ti ar bapur."

Yn y cyfamser, edrychodd Hagi'n syn ar Sam, gan sibrwd dan ei anadl, "Ond fe ddywedodd Meistr ei fod e'n mynd i gael ei ladd. . ."

Wedi i Zoltan orffen ysgrifennu, rhoddodd y papur i Hagi, ac aeth ef ac Ann Onest i ffwrdd. Dechreuodd Sam ddilyn Hagi ar hyd y coridorau hir, tywyll, nes i'r gwas aros yn stond.

"Ble ni'n mynd?" gofynnodd. "A phwy wyt ti?"

"Edrych ar y darn papur," meddai Sam. "Mae hwnnw'n dweud."

"O, iawn," meddai Hagi, ei wyneb dwl yn torri'n wên. Chwiliodd am y papur. Edrychodd yn ei esgidiau, dan ei gesail, yn ei gap, lan llawes ei grys, pobman ond y boced lle gwelodd Sam ef yn rhoi'r nodyn. O'r diwedd, gafaelodd yn y papur, ac edrychodd arno. Edrychodd yn graff. Aeth deng munud heibio tra oedd Hagi'n syllu ar y nodyn. Yna, trodd ac edrychodd yn euog ar Sam.

"Rydw i newydd gofio," meddai. "Dydw i ddim yn gallu darllen."

"Hoffet ti i mi ddarllen y nodyn i ti?" cynigiodd Sam.

"O'r gore; ond pwy wyt ti?"

"Paid â phoeni am hynny nawr," meddai Sam, gan gymryd y papur yn ei bawen. Darllenodd y nodyn.

"Dos â'r ci yma i'r celloedd, ac yna lladda fe!" oedd y geiriau ar y papur!

PENNOD PEDWAR

EDRYCHODD SAM yn syn ar y nodyn. Roedd Zoltan am ei waed! Ni wyddai pam; efallai mai llofruddiaeth oedd hobi Zoltan, neu efallai ei fod mewn gwallgofdy. Beth bynnag, roedd yn rhaid iddo guddio am ychydig, ac yna dianc o grafangau Zoltan a'i griw am byth. Trodd Sam at Hagi, a oedd yn sefyll fel delw yng nghanol y coridor. Sylwodd am y tro cyntaf ar y gyllell hir, finiog yng ngwregys y gwas.

"Nawr 'te, Hagi, oes 'na ffordd arall allan o'r Castell yma, heblaw am y drws ffrynt?" gofynnodd.

"Pa ddrws ffrynt?" oedd yr ateb a gafodd.

Gwelodd Sam nad oedd diben ceisio cael unrhyw wybodaeth gan yr ynfytyn; doedd e'n dda i ddim. O leiaf, roedd Hagi yn llawer rhy dwp i'w rwystro rhag dianc. Meddyliodd Sam am funud, yna, gan edrych ar ddrws yr ystafell agosaf, dywedodd wrth Hagi, "Mae Zoltan yn yr ystafell hon, ac mae e eisie siarad â thi."

Edrychodd Hagi am foment fel pe bai ar fin dweud, "Pwy yw Zoltan?", ond fe gofiodd mewn pryd, ac aeth at y drws. Camodd i mewn i'r ystafell, ac yna gwthiodd Sam ef nes ei fod yn mesur y llawr. Caeodd y drws yn glep a rhedeg i ffwrdd. Rhedodd i fyny ac i lawr sawl coridor nes ei fod ar goll yn llwyr. Nid oedd am fynd i mewn i unrhyw un o'r ystafelloedd rhag ofn fod Zoltan neu un o'i weision gwallgo yno. I wneud pethau'n waeth, clywai Sam sŵn traed; clywodd lais Zoltan yn dweud, "Chwiliwch am y ci felltith 'na, a dewch ag e i mi!" a llais Rap yn dweud, "Dim ond un iaith mae'r cŵn 'ma'n ddeall." Cuddiodd Sam y tu ôl i'r llenni nes i'r ddau fynd heibio.

Wedi deng munud o dawelwch, sleifiodd Sam allan yn dawel. Edrychodd o'i gwmpas, ond doedd neb i'w weld. Cerddodd yn araf ar hyd y coridor hir, ond fel roedd yn troi'r gornel, gwelodd ferch ifanc yn cario gwn. Nid oedd gobaith ceisio dianc, felly arhosodd Sam yn llonydd. Edrychodd y ferch arno.

"Wyt ti wedi gweld ci defaid yn rhywle?" gofynnodd y ferch.

"Naddo," atebodd Sam. "Pam, wyt ti wedi colli un?"

"Zoltan ddywedodd wrthon ni i gyd i chwilio am gi defaid. Wn i ddim pam. I ddweud y gwir, dydw i erioed wedi gweld ci defaid – dydw i ddim yn meddwl y buaswn i'n adnabod un taswn i'n ei weld!"

"Beth yw d'enw?" gofynnodd Sam.

"Ann yw f'enw – Ann Wybodus. Fi yw Dirprwy-Is-Dan-Forwyn Gynorthwyol y Castell. Os gweli di gi defaid, dwed wrthyf – mae Zoltan yn addo gwobr i unrhyw un sy'n dal y ci. Gyda llaw, wyt ti erioed wedi gweld ci defaid? Sut olwg sydd arno fe? Wyt ti'n gwybod?"

"Un tal, ond go fyr; eitha hen, ond ei fod yn ifanc; reit denau, ac yn dew; moel efo digon o wallt; yn cerdded yn araf mewn ffordd gyflym. Mae ganddo lais tawel, swnllyd, a lliw coch sydd ar ei groen gwyrdd."

"Diolch yn fawr. Fe ddylwn adnabod un felly yn hawdd." Aeth Ann Wybodus ymaith, y gwn yn ei llaw, i chwilio am y math o greadur a ddisgrifiodd Sam.

Sychodd Sam ei dalcen â'i bawen. Diolch byth nad oedd Ann Wybodus erioed wedi gweld ci defaid! Roedd yn rhaid iddo gael hyd i le i guddio, ac yna dianc. Ond sut? Edrychodd o'i gwmpas, a gwelodd ddrws a oedd yn gilagored. Aeth i mewn drwyddo yn ofalus.

Roedd yr ystafell yn wag, ac yn gyfforddus a glân, felly caeodd Sam y drws ac eisteddodd ar y gadair freichiau fawr. Roedd yn braf gallu gorffwys mewn lle tawel, heb gael morynion o'r enw Ann na gwallgofddyn fel Hagi neu Zoltan yn rhuthro o'i gwmpas. Syrthiodd Sam i gysgu yn y gadair freichiau braf.

Wedi cysgu am beth amser, deffrodd Sam yn sydyn pan glywodd sŵn drws yn agor. Neidiodd yn chwim o dan y gadair freichiau, a swatio yno, ond yn rhy hwyr! Gafaelodd llaw anferth yng ngwegil Sam, a'i godi'n uchel. Edrychodd Sam ar y dyn mwyaf iddo'i weld erioed; roedd yn wyth troedfedd o daldra o leiaf, gyda breichiau cryf fel barrau haearn.

Yn ffodus i Sam, nid oedd y cawr yn edrych yn gas; roedd gwên ar ei wyneb, a gofynnodd yn eitha cyfeillgar iddo, "Pwy wyt ti, a beth wyt ti'n wneud yn f'ystafell i?"

Er bod y cawr yn gyfeillgar yr olwg, nid oedd Sam am ymddiried yn llwyr ynddo. Penderfynodd beidio â dweud y gwir i gyd.

"Mae rhywun eisie fy lladd," meddai. "Peidiwch â'm bradychu, os gwelwch yn dda."

"Pwy sydd eisie dy ladd?"

"Dyn o'r enw Zoltan."

"Zoltan? Ond mae Zoltan yn ŵr addfwyn, caredig! Fi yw ei gyflogwr. Fi yw Twm Cwrch, perchennog Castell Marwolaeth Boenus Ac Erchyll I Bawb Sy'n Ddigon Ffôl I Feddwl Am Aros Yma. Fe benderfynais gyflogi Zoltan ddeng mlynedd yn ôl am ei fod yn ŵr mor dwt, glân, caredig, golygus ac annwyl. Mae e'n glyfar iawn hefyd – bron mor glyfar â Hagi y gwas."

Crafodd Sam ei ben â'i bawen. Os oedd hwn yn meddwl fod Zoltan yn olygus, a Hagi yn glyfar, roedd yn wallgo ulw bost! Ceisiodd Sam ddechrau sgwrs â'r cawr.

"Wyt ti'n dod o Dransylfania yn wreiddiol, Twm?"

"Na, rwy'n dod o Gymru, fel ti – lle o'r enw Cwm Twrch. Fi yw Twm Cwrch o Gwm Twrch."

"Ers pryd wyt ti'n byw yn Nhransylfania?"

"Dydw i ddim yn cofio'n iawn; rydw i wedi bod yma ers amser go hir. Lle da iawn yw Transylfania; does neb yn holi gormod o gwestiynau am bethau fel pobol yn diflannu. Ond dyna ddigon o fân siarad – beth am bryd o fwyd?"

"Iawn," cytunodd Sam.

Canodd Twm Cwrch y gloch, a daeth morwyn i mewn. "Nawr, Ann, dewch â phryd o fwyd i ni'n dau," gorchmynnodd Twm. Aeth y forwyn allan. "Merch dda iawn yw honna," meddai Twm. "Mae hi a'i gŵr, Zbigon Igonol, wedi bod yn gweithio yn y castell ers tro. Mae Zbigon yn gogydd da iawn."

"Sawl cogydd sydd yn y castell?" gofynnodd Sam.

"O, sawl un. Allwch chi ddim cael gormod o

weision. Na morynion chwaith. Maen nhw'n gwneud bwyd da."

"Ydyn wir, fe gefais ginio a brecwast ardderchog. . ."

"Na, gwneud bwyd da i'r anifeiliaid oeddwn i'n feddwl. Pan mae un o'r gweision yn dechrau cwyno, rwy'n ei roi i'r llewod rheibus i'w fwyta. Dydyn nhw ddim yn cwyno llawer wedyn."

Doedd Sam ddim yn hoffi geiriau Twm. Edrychodd eto ar y cawr, a gwelodd fod yna olwg wallgo yn ei lygaid. Penderfynodd geisio dianc cyn gynted ag y câi gyfle, ond roedd Twm Cwrch yn sefyll o flaen y drws, a doedd yr un ffenestr yn yr ystafell.

Daeth dwy forwyn i mewn yn cario bwyd. Eisteddodd Twm Cwrch wrth y bwrdd, a dywedodd wrth Sam am eistedd hefyd. Ceisiodd Sam eistedd yn agos at y drws, ond roedd Twm Cwrch yn amlwg yn disgwyl iddo fynd i ben arall y bwrdd, a doedd Sam ddim am ddadlau â'r cawr. Ann Igonol oedd un o'r morynion; doedd Sam ddim yn adnabod y llall, ond roedd Twm Cwrch yn ei galw hi'n "Ann" hefyd. Roedd hi'n edrych yn gas; roedd hi'n taflu'r bwyd ar y bwrdd rhywsut-rywsut, yn gwgu ar Sam a Twm, ac yn siarad yn sarrug â'r forwyn arall. Gollyngodd fwy nag un plât ar y llawr heb ymddiheuro, ac ar y ffordd allan, tynnodd wynebau ar Twm a Sam.

"Dyna forwyn gas," meddai Sam. "Pwy yw hi?"

"O, Ann oedd honna – Ann Ymunol. Mae hi'n iawn yn y bôn."

Roedd y bwyd yn ardderchog a bu tawelwch am beth amser tra oedd Twm a Sam yn mwynhau'r wledd. Wedi iddynt orffen, edrychodd Twm ar Sam; gwenodd yn addfwyn a dweud, mewn llais cyfeillgar a charedig,

"Nawr rwyf am dy ladd di."

PENNOD PUMP

AR UNWAITH, neidiodd Sam oddi ar ei gadair wrth ochr y bwrdd, a rhedeg tuag ar y drws. Ond yn rhy hwyr! Safai Twm Cwrch yno, yn gwenu ac yn dweud,

"Fe fyddi di'n llawer hapusach ar ôl i mi dy ladd di. Dere yma, a gad i mi dorri dy wddf â'r gyllell 'ma."

Edrychodd Sam o'i gwmpas yn gyflym, a gwelodd ddysgl fawr o dreiffl ar y bwrdd. Gafaelodd ynddi, a'i thaflu'n syth i wyneb Twm Cwrch. Gyda'i lygaid yn dreiffl i gyd, ni welodd y cawr gwallgo Sam yn sleifio rhwng ei freichiau tuag at y drws, a chyn iddo allu gwneud dim, allan â Sam i'r cyntedd. Rhedodd fel mellten cyn belled ag y gallai oddi wrth ystafell Twm Cwrch. Rhedodd am tua deng munud, nes iddo benderfynu o'r diwedd ei fod yn ddigon pell i ffwrdd. Roedd Sam wedi dringo nifer o risiau yn ei ymdrech i ffoi, ac erbyn hyn roedd wedi blino. Aeth at ddrws ar ben pella'r coridor, a gwrando'n astud. Ni chlywodd yr un sŵn, felly aeth i mewn.

Erbyn hyn, roedd Sam yn disgwyl syndod annifyr ym mhob ystafell yn y castell felltith hwn, ond cafodd fraw pan welodd beth oedd o flaen ei lygaid. Yng nghanol yr ystafell enfawr roedd dau ddeinosor yn eistedd ar gadeiriau esmwyth yn gwylio'r teledu ac yn bwyta wyau Pasg yr un pryd!

Trodd y ddau ddeinosor i edrych ar Sam.

"Pwy wyt ti?" gofynnodd y deinosor cyntaf.

"Sam yw f'enw i," atebodd Sam.

"Fi yw Bronto – Bronto Saurus, a dyma fy nghyfaill, Tyrranosaurus Rex. Mae pawb yn ei alw'n T. Rex," meddai'r deinosor. "Beth wyt ti'n wneud yma?"

Nid oedd Sam yn gwybod beth i'w ddweud. Tybed ai gwell fyddai gofyn i'r ddau yma ei helpu? Neu a oedd y rhain yn mynd i geisio'i ladd hefyd? Penderfynodd ddweud peth o'r gwir wrthynt.

"Rwyf ar fy ngwyliau yn Nhransylfania. Rwy'n dod o Gymru," meddai, gan obeithio y byddai hynny yn bodloni'r deinosoriaid. Yn ffodus, ni ofynnodd y ddau ddim mwy. Cynigiodd T. Rex ddarn o wy Pasg i Sam, a chymerodd y ci y siocled a'i fwyta.

Edrychodd Sam ar y deinosoriaid, a cheisiodd gael eglurhad i'r dirgelwch dyrys oedd yn ei boeni, gan ofyn, "O ble cawsoch chi wyau Pasg ym mis Gorffennaf?"

"Cwestiwn da," meddai T. Rex.

"Ie, cwestiwn da iawn," cytunodd Bronto. "Mae'r ci yma'n glyfar iawn. Oes gennyt ti fwy o gwestiynau, Sam?"

"Wel, oes," meddai Sam. Tybed a fyddai'r deinosoriaid yn gallu egluro pethau iddo? "Beth sy'n digwydd yn y castell 'ma? Pam mae pawb mor wallgo? Pam mae pawb eisie fy lladd? Oes 'na ffordd o ddianc o'r castell? Pam mae 'na ddau ddeinosor yn eistedd yma, a phawb yn gwybod nad oes deinosoriaid i'w cael

mwyach?"

"Cwestiynau ardderchog," meddai T. Rex.

Cytunodd Bronto, gan ddweud, "Mae'r ci defaid yma'n gofyn cwestiynau gwych."

Eisteddodd y ddau yn eu cadeiriau esmwyth, a dal i fwyta eu wyau Pasg. Ni wnaeth yr un o'r ddau yr ymdrech leiaf i ateb cwestiynau Sam, dim ond dweud pethau fel, "Ie wir, cwestiynau da dros ben," a "Rhai o'r cwestiynau gorau i mi eu clywed ers amser maith."

Safodd Sam yn ddisgwylgar, ond ni wnaeth y deinosoriaid ddim ond eistedd a bwyta, gan lygadrythu ar y set deledu a oedd yn dangos y rhaglen gomedi boblogaidd o America, "Cheers." Fel rheol, roedd Sam yn hoff iawn o'r rhaglen, ond y tro hwn, ni allai ganolbwyntio arni. Gofynnodd i'r deinosoriaid, "Ydy Zoltan neu Twm Cwrch yn debyg o ddod yma?" ond yr unig ateb a gafodd oedd, "Cwestiwn da arall! Da iawn wir, Sam."

Daeth y rhaglen i ben; pwysodd T. Rex ymlaen i newid y sianel ar y set deledu.

"Paid, T. Rex," meddai Bronto, "mae rhaglen dda ar gasglu stampiau ar fin dod ar y sianel hon."

"Ond mae 'na raglen ar fysiau un-llawr ar y sianel arall!" rhuodd T. Rex. "Pam mae'n rhaid i ni wylio beth bynnag rwyt ti eisie ei weld bob tro?"

"Paid â siarad felna gyda fi, y babŵn diolwg!"

"Y twmffat dauwynebog! Fe ddywedaf beth bynnag rwyf eisie amdanot ti, y cangarŵ dichellgar!"

Rhuthrodd y ddau ddeinosor ar ei gilydd, a'u

cynffonau'n chwifio yn yr awyr. Lluchiodd Bronto fwrdd pren mawr at T. Rex, ac atebodd hwnnw gan daflu bin sbwriel metel trwm at ben Bronto. Trawodd Bronto T. Rex yn ei drwyn â'i ddwrn, a gafaelodd T. Rex yng nghynffon ei gyd-ddeinosor a'i throi'n filain nes fod Bronto'n rhuo mewn poen. Ymhen dim, roedd y ddau'n rowlio ar y llawr, yn dyrnu, yn cicio, yn brathu ac yn gwneud difrod garw i'w gilydd ac i'r ystafell. Ciliodd Sam; nid oedd yn gi llwfr, ond roedd y deinosoriaid yn greaduriaid anferth; petai un ohonynt yn glanio ar ben Sam, fe gâi'r ci ei wasgu'n seitan. Wedi dwys ystyried, penderfynodd Sam mai doeth fyddai gadael yr ystafell cyn gynted ag y gallai. Sleifiodd tuag at y drws, ac aeth allan tra oedd Bronto a T. Rex yn ceisio datgymalu'i gilydd. Y peth diwethaf i Sam ei weld oedd T. Rex yn cicio Bronto yn ei stumog, tra oedd Bronto'n gollwng y set deledu ar ben T. Rex. Clywodd sŵn yr ymladd yn diasbedain ar hyd y coridor.

Rhedodd Sam i lawr y coridor. Gweision gwallgo, morynion hurt, perchennog direswm, deinosoriaid ffyrnig! Beth nesaf? Pam yn y byd, meddyliodd Sam, y gadewais i Gymru annwyl? Ond doedd dim diben hel meddyliau; roedd yn rhaid iddo ddianc o'r Castell! Rhedodd i lawr y grisiau agosaf. Erbyn hyn, roedd sŵn y frwydr rhwng y deinosoriaid yn tawelu; un ai roedd Sam wedi mynd yn rhy bell i glywed y terfysg, neu roedd un o'r deinosoriaid wedi gorchfygu'r llall.

Gan nad oedd dringo'r grisiau wedi bod o gymorth

i Sam ddianc o'r castell, penderfynodd y ci geisio mynd i lawr y grisiau. Aeth i lawr tua chwe set wahanol o risiau, heb weld neb, nes iddo gyrraedd drws cilagored. Edrychodd i mewn, a gwelodd fod yr ystafell yn wag. Efallai fod hyn yn golygu nad oedd neb yn defnyddio'r ystafell, ac y byddai Sam yn cael llonydd i feddwl am ffordd i ddianc. Yn well fyth, roedd llond plât o fwyd oer ar fwrdd yn y gornel, a bwytaodd Sam yn awchus. Yna, aeth i ran weddol dywyll o'r ystafell i geisio gorffwys, ac yn wir, fe syrthiodd i gysgu'n fuan iawn.

Deffrodd Sam wedi peth amser, a sylweddolodd nad oedd bellach yn cysgu ar lawr pren, ond mewn basged! Roedd 'nôl adref yng Nghymru! Diolch byth, breuddwyd oedd y cyfan!

Ond yna sylweddolodd Sam fod ei bawennau wedi eu clymu wrth ei gilydd! Nid gartref yn ei hoff fasged oedd e wedi'r cyfan, ond. . .

"Croeso'n ôl, y ci felltith! Nawr fe gawn ni weld pwy yw'r meistr yn y castell yma," meddai llais sarrug.

Edrychodd Sam i fyny i weld wyneb hyll Zoltan yn crechwenu arno, a Rap, Twm Cwrch a Hagi yn y cefndir, yn rhoi min ar eu cyllyll!

PENNOD CHWECH

"SUT GWNAETHOCH CHI fy nal i?" gofynnodd Sam. "Rwy'n cysgu â'm llygaid yn agored! Sut gwnaethoch chi lwyddo i 'nghlymu?"

Chwarddodd Twm Cwrch a Rap; gwenodd Zoltan yn filain ac edrychodd Hagi'n syn, fel pe na bai wedi sylweddoli fod Sam wedi ei glymu.

Cofiodd Sam yn sydyn. "Y bwyd 'na! Mae'n rhaid fod rhywbeth ynddo! Dyna sut y cefais fy nal!"

Roedd Sam druan wedi dychryn yn llwyr erbyn hyn. Roedd yn hollol ddiymadferth yn nwylo'r gwallgofddyn Twm Cwrch a'i gyd-ddrwgweithredwyr. Sut y gallai ddianc o'u crafangau? Camodd Rap ymlaen, a dywedodd wrth Twm Cwrch,

"Beth am i ni dorri gwddwg y ci 'ma nawr? Cofiwch, dim ond un iaith mae'r gyddfau 'ma'n ddeall."

Cytunodd Zoltan, gan ddweud, "Ie, gadewch i mi dorri ei wddwg â'r gyllell finiog hon."

Ceisiodd Hagi roi ei big i mewn. "Mae gen i syniad," meddai. "Beth am i ni adael hwn yma a cheisio dal y ci defaid 'na sydd wedi bod yn ein poeni ni?"

Lluchiodd Twm Cwrch esgid at ben Hagi. "Cau dy geg, yr ynfytyn di-glem," meddai. "Cyn i ni ladd y ci 'ma, fe hoffwn glywed ei hanes. Beth wyt ti'n ei wneud yng Nghymru, Sam? Beth yw dy waith di?"

Atebodd Sam gan ddweud, "Fi yw prif arholwr Cŵn Defaid Cymru. Fel y gwyddoch, mae'n siŵr, mae cŵn defaid yn dysgu casglu defaid drwy fynd i ysgolion pan maen nhw'n fychan, a chael eu hyfforddi gan gi defaid profiadol sydd wedi ymddeol. Mae'r ci defaid mawr yn sgrifennu pethau ar fwrdd du, ac yna mae'r cŵn defaid bach yn cymryd nodiadau, gan sgrifennu yn eu llyfrau. Yna, ar ddiwedd y flwyddyn, mae'r cŵn defaid bach yn sefyll arholiad i weld pwy sy'n cael bod yn gŵn defaid go iawn. Pan fyddan nhw wedi pasio'r arholiad, maen nhw'n derbyn tystysgrifau, ac yna'n mynd i ffwrdd i ffermydd i helpu'r ffermwyr i gasglu defaid. Wedi iddyn nhw ddangos eu tystysgrifau i'r defaid, maen nhw'n parchu'r cŵn defaid newydd ac yn ufuddhau iddyn nhw. Does gan ddefaid ddim ofn cŵn heb dystysgrif. Fi yw'r un sy'n marcio'r papurau i gyd. Dyna pam yr es i i Dransylfania ar fy ngwyliau – newydd orffen marcio'r papurau roeddwn i, ac angen gorffwys."

"Fe gei di orffwys pan fyddwn ni wedi gorffen â thi," addawodd Rap, a gwên greulon ar ei wyneb, "gorffwys am byth!" Chwarddodd yn groch, ac estyn am ei gyllell.

Ond cododd Twm Cwrch ei law anferth. "Na, ddim eto, Rap. Fe gaiff y ci aros yma am sbel, tra byddwn ni'n mynd i nofio. Hagi, aros yma i gadw llygad ar y ci."

Edrychodd Hagi ar Twm. "Pa gi, Meistr?"

"Y ci defaid yma, Hagi. Yr un sydd wedi'i glymu yn y fasged 'ma. Mae'n rhaid i ti wneud yn siŵr na fydd yn dianc."

"Dianc i ble, Meistr?"

"I unrhyw fan, Hagi. Mae'n rhaid i ti ei gadw yma nes i ni ddychwelyd."

"Dychwelyd o ble, Meistr?"

"O'r pwll nofio."

"O! Iawn! Rwy'n gweld nawr! Mae'n rhaid i mi ofalu fod y ci defaid yn mynd i nofio tra 'mod i'n aros yn y fasged."

"Y twpsyn gwallgo!" rhuodd Rap. "Dim ond un iaith wyt ti'n ddeall!" A thaflodd fwced o ddŵr oer dros ben Hagi. Edrychodd hwnnw'n syn ar Rap.

Trodd Twm Cwrch at Hagi. "Nawr 'te, Hagi," dywedodd, "gwna'n siŵr nad yw'r ci defaid yn symud o'r fan yma. Dyna'r cwbwl."

"Ond Meistr," meddai Hagi, "dyw'r ci ddim mewn fan. Mae e yn y fasged."

Edrychodd Twm Cwrch a Zoltan ar ei gilydd. Dechreuodd Rap fwrw ei ben yn erbyn y wal; yna, newidiodd ei feddwl, a dechrau bwrw pen Hagi yn erbyn y wal. Wedyn, aethant allan, gan adael Sam a Hagi yn yr ystafell.

Cododd calon Sam. Roedd yn siŵr y gallai dwyllo Hagi yn hawdd. Roedd y gwas yn eistedd mewn cadair freichiau, yn rhwbio'i ben ac yn edrych fel pe bai wedi drysu. Meddyliodd Sam am ychydig, yna

dywedodd wrth Hagi, "Brysia, Hagi, gad fi'n rhydd er mwyn i mi allu mynd i nofio gyda phawb arall."

Cododd Hagi ar ei draed, a nesáu at Sam, ond yna arhosodd, a dywedodd,

"Ond mae'n rhaid i mi dy gadw di yma – dyna 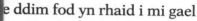 Cwrch."

e ddim fod yn rhaid i mi gael

c o fewn dim roedd wedi
ld Sam adael yr ystafell, ond
yfeillion wedi cloi'r drws; yn
t gyn lleied o ffydd yn Hagi
ld yr un ffenest yn yr ystafell
ld Sam o'i gwmpas am ffordd
stafelloedd y Castell wedi eu
harorion rhag dianc. Gan nad
ystafell, penderfynodd Sam
i Twm Cwrch a'i griw erbyn
Gosododd rwyd fawr ar y
a'i chlymu fel y byddai'n
cwympo ar ben unrhyw un a ddôi i mewn. Yn y cyfamser, roedd Hagi'n edrych arno a'i geg yn agored fel pysgodyn aur mewn ffair.

"Pam wyt ti'n clymu'r rhwyd 'na?" gofynnodd Hagi.

"O, dim rheswm arbennig," meddai Sam gan wenu.

Ceisiodd gynnal sgwrs efo Hagi, ond gan fod hwnnw'n cael trafferth i gofio unrhyw beth mwy cymhleth na'i enw ei hun, blinodd Sam ar yr ymgais.

Cyn hir, clywodd sŵn traed yn dod i lawr y coridor, a lleisiau'n dweud pethau fel, "Nawr fe gawn ladd y ci 'na," a "Dim ond un iaith mae'r cŵn 'ma'n ddeall." Sleifiodd Sam y tu ôl i'r drws, tra oedd Hagi'n sefyll fel delw yng nghanol yr ystafell. Agorwyd y drws, ac i mewn â Twm Cwrch a Rap; doedd Zoltan ddim yno. Yn syth, gollyngodd y rhwyd drostynt, ac roedd y ddau ddihiryn ynghlwm ynddi. Gwaeddodd y ddau, ond roedd gwaeth i ddod; tywalltodd Sam fwced o driog drostynt nes eu bod yn hollol sticlyd.

Galwodd Twm Cwrch ar Hagi, gan ei orchymyn i'w hachub, a rhedodd y gwas at Sam, ond ni allodd ddal y ci defaid chwim. Dihangodd Sam drwy'r drws, gan adael y dihirod yn straffaglian yng nghanol y triog a'r rhwyd. Rhedodd unwaith eto i lawr y coridor, nes iddo glywed sŵn traed. Roedd morwyn arall yn dod; doedd hi ddim yn edrych yn fygythiol, felly arhosodd Sam i siarad â hi.

"Esgusodwch fi," meddai, "allwch chi ddweud wrthyf sut mae mynd allan o'r Castell 'ma? Rwyf ar goll yn llwyr."

Edrychodd y forwyn arno, a dweud yn sarrug, "Meindia dy fusnes, y corrach diolwg! Un gair arall, ac fe dafla i ti i'r llewod, y mwnci eilradd! Dos o 'ngolwg i!"

"Does dim eisie bod yn gas!" atebodd Sam, a oedd wedi'i syfrdanu gan y forwyn. "Beth yw eich enw?"

"Ann yw f'enw – Ann Ifyr, os yw hynny'n unrhyw fusnes i ti!"

Aeth y forwyn ymaith mewn tymer. Edrychodd Sam yn syn arni. O leiaf doedd hi ddim wedi ceisio ei rwystro. Chwiliodd unwaith eto am ffordd i ddianc o'r castell felltith yma. Gwelodd ddrws mawr ar ben draw'r coridor, ac aeth ato. Gwrandawodd wrth y drws am ychydig ac, wedi methu clywed unrhyw beth bygythiol, aeth i mewn.

Y tu mewn i'r ystafell, roedd morwyn yn mwmian wrth ochr ffenestr fechan. Ni chlywodd hi Sam yn nesáu tuag ati, ac fe gafodd fraw pan gyffyrddodd Sam hi â'i bawen. Gofynnodd Sam iddi beth oedd ei henw, ond ni atebodd, dim ond mwmian yn aneglur. Yn sydyn, daeth llais uchel o'r tu draw i'r ffenestr.

"Ann yw ei henw – Ann Ealladwy," meddai'r llais.

Aeth Sam i edrych drwy'r ffenestr; nid oedd hi'n bosib gweld trwy'r gwydr pŵl, felly agorodd Sam y ffenestr i weld pwy oedd y tu draw iddi. Pan welodd beth oedd yno, cafodd fwy o fraw nag a gafodd yn unrhyw un o ystafelloedd eraill Castell Marwolaeth Boenus Ac Erchyll I Bawb Sy'n Ddigon Ffôl I Feddwl Am Aros Yma!

PENNOD SAITH

YN YR YSTAFELL NESAF, roedd pedair draig yn chwarae tennis bwrdd, ac yn anadlu tân! Doedd Sam erioed wedi gweld draig go iawn o'r blaen, a phrin y gallai gredu ei lygaid. Aeth i mewn i'r ystafell, gan syllu'n syn ar y dreigiau.

Trodd y ddraig agosaf at Sam, a dweud, "Pwy wyt ti?"

Atebodd Sam gan ddweud, "Fi yw Sam, y ci defaid o Gymru."

"Beth yw ci?" gofynnodd yr ail ddraig.

"Beth yw defaid?" gofynnodd y drydedd ddraig.

"Beth yw Cymru?" gofynnodd y bedwaredd ddraig.

Trodd y tair draig arall at y bedwaredd ddraig.

"Rwyt ti'n gwybod yn iawn beth yw Cymru!" meddai'r ddraig gyntaf.

"Mae pob draig yn gwybod am Gymru!" meddai'r ail ddraig.

"Ie, Cymru yw'r wlad lle mae Ôch yn byw!" meddai'r drydedd, gan chwerthin ac anadlu tân.

"Esgusodwch fi, ond pwy yw Ôch?" gofynnodd Sam.

"Os wyt ti'n dod o Gymru, mae'n siŵr dy fod wedi clywed am y Ddraig Ôch!" meddai un o'r dreigiau, gan anadlu tân. "Mae e ar faner Cymru!"

"O do, rydw i wedi clywed amdano," meddai Sam.

"Mae e'n enwog iawn yng Nghymru."

"Da iawn," meddai'r ddraig gyntaf. "Gyda llaw, Dilwyn yw fy enw i, a dyma Deiniol, Dafydd a Deian, fy mrodyr. Rydyn ni yma ar ein gwyliau, a newydd gael pryd o fwyd ardderchog – digon o'r glo gorau, a phetrol pedair seren i'w yfed. Campus!"

"Arbennig!" meddai Deiniol.

"Gwych!" meddai Dafydd.

"Bendigedig!" meddai Deian.

Cynigiodd Dilwyn blataid o lo a gwydraid o betrol i Sam. Roedd y dreigiau'n gyfeillgar a charedig, ac er nad oedd Sam am fwyta'r danteithion oedd o'i flaen, roedd yn ddiolchgar iddynt. Ceisiodd gael gwybodaeth am y castell ganddynt, gan ofyn i Dilwyn ers faint oedd y dreigiau yno.

"O, ers peth amser," atebodd Dilwyn. "Fe gyrhaeddon ni yma wedi i ni gamu drwy ddrych hud. Mae'r drych yn ein galluogi ni i fynd o wlad y dreigiau i unrhyw le y dymunwn. Cryn dipyn mwy cyfleus nag aros am drên, a chyflymach o lawer nag awyren. Wrth gwrs, dim ond dreigiau sy'n gallu ei ddefnyddio; dyw e ddim yn gweithio i neb arall."

Dyna ddiwedd ar fy ngobeithion o ddefnyddio'r drych hud i ddianc o'r castell yma, meddyliodd Sam yn drist. Ond efallai y gallai'r dreigiau ei helpu mewn ffordd arall. Gofynnodd iddynt,

"Tybed allwch chi fy helpu? Mae gwallgofddyn o'r enw Twm Cwrch, a'i gyfeillion Rap a Zoltan, eisie fy lladd. Allwch chi fy helpu i ddianc, os gwelwch yn dda?"

Edrychodd y dreigiau arno. "Dyna biti," meddai Deian.

"Piti garw," meddai Dafydd.

"Trasiedi," meddai Deiniol.

"Hen dro," meddai Dilwyn. "Y drafferth yw, Sam, na allwn ni ddim symud o'r stafell hon; dyna un o sgil-effeithiau defnyddio'r drych hud. Mae'r forwyn yma'n gorfod mynd i nôl popeth i ni. Chwarae teg iddi hi, mae hi'n dda iawn."

"Yn dda dros ben," meddai Dafydd.

"Un o'r goreuon," meddai Deian.

"Morwyn ardderchog," meddai Deiniol.

Ni allai Sam weld y forwyn. "Pa´forwyn?"

gofynnodd.

"Fi, syr," meddai llais isel. Wedi craffu, gwelodd Sam fod yna ferch ifanc yn sefyll wrth y drws, ond gan fod ei dillad yr un lliw yn union â'r drws, roedd yn anodd ei gweld.

"Beth yw d'enw di?" gofynnodd Sam.

"Ann, syr – Ann Weledig. Mae'r dreigiau'n garedig iawn i mi. Maen nhw'n hael dros ben."

"Fe gei di fynd nawr, Ann," meddai Dilwyn wrth y forwyn, a gadawodd honno gan ddiolch i'r dreigiau. "Wel, Sam, mae'n bryd i ni ddychwelyd i Wlad y Dreigiau. Mae wedi bod yn braf iawn siarad â thi."

"Yn bleser," meddai Deian.

"Pleser ac anrhydedd," meddai Deiniol.

"Chwarter awr o fwynhad pur," meddai Dafydd.

"Ond allwch chi ddim fy ngadael i yn y castell 'ma ar fy mhen fy hun!" meddai Sam mewn ofn. "Mae Twm Cwrch a'i griw yn ceisio fy lladd! Oes dim y gallwch chi ei wneud i'm helpu?"

Troes Dilwyn at ei frodyr. "Gan fod Sam yn dod o'r un wlad ag Ôch, fe ddylen ni ei helpu. Mae'n ddyletswydd arnon ni."

"Dyletswydd bwysig iawn," meddai Deiniol.

"Mae'n rhaid i ni wneud ein gorau," meddai Dafydd.

"Ein gorau glas i un o gyd-wladwyr Ôch," cytunodd Deian.

"Beth am i ni roi litr o betrol iddo?" gofynnodd Deiniol.

"Neu beth o'r glo ardderchog 'ma," meddai Dafydd.

"Neu'r ddau," cynigiodd Deian.

"Nawr 'te, frodyr," meddai Dilwyn. "Dyw glo a phetrol ddim yn mynd i achub croen Sam. Mae gen i syniad gwell. Beth am i ni ei alluogi i anadlu tân?"

"Syniad godidog," meddai Deian.

"Ie, syniad ysblennydd," meddai Deiniol.

"Pam na alla i feddwl am syniadau cystal?" gofynnodd Dafydd.

Edrychodd Dilwyn ar Sam, a dywedodd, "Mae hon yn anrhydedd fawr, Sam. Fel rheol, does neb ond dreigiau'n gallu anadlu tân. Ond gan dy fod ti'n un o gydwladwyr Ôch, ac mewn helynt, fe ddangoswn i ti sut mae anadlu tân. Cymer y dabled hon; fe fyddi di'n gallu anadlu tân am hanner awr wedyn. Dim ond un dabled allwn ni roi i ti; os cymeri di fwy nag un, ni fyddi di'n gallu anadlu dim byd ond tân am weddill dy oes."

Rhoddodd Sam y dabled yn ei boced. "Diolch yn fawr, Dilwyn; a diolch i chi hefyd, Deian, Dafydd a Deiniol. Rydych chi'n ddreigiau caredig iawn."

"Ddim o gwbwl," meddai Dilwyn. "Unrhyw beth i helpu un o gyd-wladwyr Ôch. Mae colled fawr ar ei ôl yng ngwlad y dreigiau. Roedd Ôch yn boblogaidd iawn, ac rydyn ni i gyd yn falch fod pawb yng Nghymru yn ei barchu a'i edmygu. Cofia ni at Ôch pan ei di'n ôl i Gymru."

"Ie, cofia ni at Ôch," meddai Deiniol.

"Rho ein dymuniadau gorau i Ôch," meddai

Dafydd.

"Dwed wrtho ein bod ni'n gweld ei golli," meddai Deian.

Camodd y dreigiau tuag at y drych hud. "Wel, pob hwyl, Sam," meddai Dilwyn. "Gobeithio y cyrhaeddi di Gymru'n ddiogel."

"Hwyl fawr, Sam," meddai Deian.

"Ffarwél, Sam," meddai Deiniol.

"Da bo ti, Sam," meddai Dafydd.

Ac i ffwrdd â'r dreigiau drwy'r drych hud. Wedi iddynt fynd, edrychai'r drych fel pob drych arall, heb unrhyw arwydd fod y dreigiau wedi mynd trwyddo. Edrychodd Sam o'i gwmpas, gan obeithio gweld rhyw ffordd o ddianc o'r Castell, ond doedd dim i'w weld. Rhaid oedd mentro allan, rhag ofn i un o'r morynion ddweud wrth Zoltan a'i griw ble roedd e. Aeth Sam allan yn ofalus a llechwraidd.

Cerddodd i fyny ac i lawr mwy o goridorau, gan chwilio am ffordd allan, ond yr unig beth i'w weld ar ben draw pob coridor oedd coridor arall. Ni welodd olwg o Twm Cwrch, Zoltan, Rap na Hagi; yr unig un a welodd oedd morwyn arall. Gofynnodd iddi pwy oedd hi, a sut oedd mynd allan o'r castell.

Atebodd hi ef, gan ddweud, "Ann yw f'enw i; nawr 'te, sut mae mynd allan o'r Castell? Ewch i lawr yr ail goridor ar y chwith; na, y cyntaf ar y dde, rwy'n meddwl. . .na, y cyntaf ar y chwith. . .neu'r trydydd ar y dde, dwedwch? Beth bynnag, ar ôl cyrraedd yno, ewch i fyny'r grisiau. . . na, i lawr yr ail risiau, rwy'n

meddwl. . .neu'r trydydd grisiau? Alla i ddim cofio'n iawn nawr. . . arhoswch funud, mae gen i fap ym mhoced fy nghot. . ."

"Ond does dim cot gen ti!" meddai Sam, a oedd erbyn hyn yn dechrau colli amynedd gyda'r forwyn ddidoreth.

"O, nac oes? Roedd hi gen i funud yn ôl. . .neu ddoe oedd hi gen i, dwedwch? Alla i ddim cofio'n iawn. . ."

"Wyt ti'n perthyn i Hagi?" gofynnodd Sam, a oedd wedi colli amynedd yn llwyr erbyn hyn.

"Nac ydw, fi yw merch Zimor Rhefnus – Ann Rhefnus yw fy enw llawn."

"Rwy'n gweld," meddai Sam. Trodd ar ei sawdl a gadael Ann Rhefnus yn chwilio am ei chot. Aeth i lawr coridor hir, llydan, ac ar ben draw y coridor, gwelodd ddrws a'r geiriau "Allanfa Dan" arno. O'r diwedd, meddyliodd Sam, ffordd allan o'r castell felltith yma!

Roedd ei bawen ar y drws pan glywodd lais yn dweud yn uchel, "Paid ti â meiddio defnyddio'r drws yna, y ci bach powld!" Edrychodd Sam, a'r tu ôl iddo roedd dyn byr, tew, yn cario dryll dwbwl-baril mawr – a hwnnw'n pwyntio at Sam!

PENNOD WYTH

"PAID TI Â MEIDDIO cyffwrdd y drws yna, y penci hurt! Dos oddi wrtho ar unwaith!" Rhuodd y dyn bychan ar Sam, gan chwifio'r gwn yn fygythiol.

"Mae'n ddrwg gen i," meddai Sam. "Roeddwn i'n ceisio mynd allan o'r castell 'ma. Doeddwn i ddim yn sylweddoli mai eich drws chi oedd hwn."

"Ond mae f'enw i ar y drws!" rhuodd y corrach. "Edrych! Allanfa Dan! A fi yw Dan – Dan Jerus yw f'enw llawn."

"Mae'n ddrwg gen i," meddai Sam yn gwrtais. "Roeddwn i'n meddwl mai 'Allanfa Dân' oedd ar y drws. Ni fuaswn wedi ei gyffwrdd tawn i'n gwybod mai eich drws chi oedd e."

Edrychodd Dan Jerus yn llawer llai blin wedi iddo glywed eglurhad Sam. "Wel, nid ti yw'r cyntaf i wneud y camgymeriad yna," meddai, "ond mae'n dân ar fy nghroen i weld unrhyw un arall yn defnyddio fy nrws i ar ôl i mi roi fy enw arno. Rwy'n derbyn dy ymddiheuriad." A rhoddodd y gwn i lawr, ac ysgwyd llaw efo Sam.

"Pam oeddech chi'n cario gwn?" gofynnodd Sam.

"Wel," atebodd Dan Jerus, "rwy'n chwilio am rywun. Mae perchennog y castell, Twm Cwrch, yn eiddgar iawn i gael gafael ar ryw gi defaid sydd wedi bod ar goll yn y castell. Roedd yn swnio'n awyddus iawn i gael sgwrs â'r ci defaid. Pa fath o gi wyt ti, gyda llaw?"

"Ym. . . y. . . ci ŵyn-mewn-oed."

"Diar annwyl! Dyna anarferol! Dydw i erioed wedi clywed am y fath gi o'r blaen. Wel, os gweli di gi defaid yn rhywle, gad i mi wybod. Hwyl nawr!"

Unwaith eto, sychodd Sam ei dalcen â'i bawen. Diolch byth fod Dan Jerus wedi derbyn ei eglurhad! Roedd Dan yn cerdded i lawr y coridor, ac ar fin mynd o olwg Sam pan ymddangosodd Zoltan a Hagi! Neidiodd Sam o dan fwrdd a oedd yn digwydd bod yno, ac felly clywodd sgwrs y tri yn glir.

"Wyt ti wedi gweld unrhyw olwg o'r ci defaid felltith yna, Dan?" gofynnodd Zoltan.

"Naddo," atebodd Dan Jerus, "dim ond rhyw gi ŵyn-mewn-oed."

"Beth? Ŵyn-mewn-oed? Y trempyn ynfyd! Fe *oedd* y ci defaid! I ble'r aeth y ci?"

"Wn i ddim; roedd e eisie mynd drwy fy allanfa i, ond fe rwystrais e. Fe aeth e wedyn."

"Os gweli di e eto, dalia fe, a rho wybod i mi neu i Twm Cwrch. Mae'n rhaid i ni ddal y ci 'na, er mwyn ei rostio'n fyw. Mae Twm Cwrch eisie ei fwyta, ac fe hoffwn i gael fy nwylo arno hefyd."

"Beth am i ni chwilio amdano nawr?" cynigiodd Dan Jerus. "Efallai'i fod yn eitha agos."

"Syniad da iawn," meddai Zoltan. "Hagi – chwilia am y ci defaid 'na."

Edrychodd Hagi'n syn arno. "Pa gi defaid, Meistr?"

"Os clywa i di'n gofyn y cwestiwn yna unwaith eto, fe daga i di!" rhuodd Zoltan. "Dos i chwilio amdano – NAWR!"

Aeth Hagi'n syth at ddrws Dan Jerus, a'i agor. Neidiodd Dan arno, gan weiddi, "Gad y drws 'na i fod, y penbwl gwallgo!" a dechreuodd y ddau ymladd. Ceisiodd Zoltan eu gwahanu, ac yn y dryswch, rhedodd Sam drwy'r drws, a'i gau yn glep yn wynebau'r tri dihiryn.

Gobaith Sam oedd dianc o'r castell drwy Allanfa Dan, ond yn anffodus iddo fe, dim ond mwy o goridorau diddiwedd oedd i'w gweld. Ond, o leiaf, roedd wedi cael gwared o Zoltan dros dro; ni ddaeth neb arall drwy'r drws i'w erlid. Aeth Sam ymlaen i chwilio am ffordd i fynd o'r castell.

Cyn hir, daeth ar draws poster mawr. Arno roedd y geiriau "Cynhadledd Hobïau Yma Heddiw", ynghyd â saeth yn pwyntio i gyfeiriad ystafell. Dilynodd Sam y saeth a'i gael ei hun mewn ystafell fawr, gyda nifer o bobol ynddi. Daeth un ohonynt at Sam, ac ysgwyd ei bawen yn gyfeillgar.

"Croeso i Gynhadledd Flynyddol Cymdeithas Hobïwyr Anarferol Transylfania a'r Cylch," meddai'r gŵr. "Dan yw fy enw i – Dan Deimlad. Pwy ydych chi, a beth yw eich hobi?"

Edrychodd Sam yn syn arno. Roedd ar fin egluro nad oedd e'n un o'r cynadleddwyr pan gofiodd fod Zoltan a'i griw am ei waed, ac efallai y gallai aelodau'r gymdeithas ei helpu i ddianc. Atebodd y gŵr gan ddweud, "Fi yw Sam y ci defaid. Does gen i ddim hobi anarferol eto, ond roeddwn i'n gobeithio cael rhai syniadau am un yma."

"Rwy'n gweld," meddai Dan Deimlad yn gyfeillgar. "Mae croeso i wynebau newydd ymuno â ni. Dewch i gwrdd â rhai o'r aelodau."

"Cyn i ni wneud hynny, beth yw eich hobi anarferol chi?" gofynnodd Sam.

Goleuodd wyneb Dan Deimlad. "Wel, rwy'n falch eich bod wedi gofyn," meddai. "Fy hobi i yw ceisio gweld gyda'm clustiau."

"Gweld efo'ch clustiau! Mae'n rhaid fod hynny'n anodd iawn," meddai Sam, a oedd wedi'i synnu.

"Wel," atebodd Dan Deimlad, "mae'n anodd iawn ar y cychwyn. Ond wedi i chi fod yn ceisio am rai blynyddoedd, fel rwyf i wedi bod yn ei wneud, mae 'run mor anodd. Dyna yw hwyl y peth. Ond dyna ddigon amdanaf i. Dyma un o'n haelodau mwyaf blaenllaw – Dan Teithion. Dwed wrth Sam am dy hobi, Dan."

"Shwmai, Sam," meddai Dan Teithion. "Fy hobi i yw anghofio pethau."

"Ers faint mae'r hobi yma ganddoch chi?" gofynnodd Sam iddo.

"Pa hobi?" oedd ateb Dan Teithion. Gwelodd Sam mai gwastraff amser oedd siarad â rhywun oedd â hobi mor wirion. Trodd at ŵr a oedd yn dal ffôn symudol yn ei law.

"Mae gen i hobi diddorol iawn," meddai wrth Sam.

"Rwy'n ceisio ffonio fi fy hun i weld a wyf i gartre ai peidio."

Crafodd Sam ei ben â'i bawen. Pa fath o hobi oedd peth fel yna? "Beth yw eich enw?" gofynnodd.

"Dan yw f'enw i; Dan Nedd."

"Wel, Dan Nedd, pob lwc i chi gyda'ch hobi. Tybed allwn i ddefnyddio eich ffôn i alw am dacsi?"

"Na allwch, mae arna i ofn. Dyw'r ffôn ddim yn gweithio."

"Ond. . ." dechreuodd Sam, cyn iddo ddod i wrthdrawiad damweiniol ag aelod arall o'r Gymdeithas Hobïwyr. "Maddeuwch i mi," meddai.

"10," meddai hwnnw.

"Esgusodwch fi, beth ddywedsoch chi?" gofynnodd Sam.

"24," meddai'r gŵr.

"Beth?" meddai Sam eto.

"3," oedd yr ateb.

Trodd Sam at ddyn arall.

"Dyw hwn yn gwneud dim ond dweud rhifau pan wy'n siarad ag e," meddai.

"Peidiwch â phoeni," meddai'r gŵr. "Dyma Dan Tynbrifo. Hobi Mr Tynbrifo yw cyfri'r nifer o lythrennau mewn brawddegau." Trodd at Dan Tynbrifo. "Sut wyt ti, Dan?"

"11," atebodd Dan Tynbrifo.

Trodd Sam at y dyn, a gofyn iddo, "Pwy ydych chi, a beth yw eich hobi?"

"Fi yw Dan Dileionabyrdoc; mae gen i hobi diddorol iawn. Rwy'n cymryd darn o bapur yn fy llaw. . ."

"Ie? Ewch ymlaen," meddai Sam.

"Dyna yw'r hobi."

Does dim synnwyr i'w gael yma, meddyliodd Sam. Trodd at aelod arall, a oedd yn sefyll â'i gefn at ddrych mawr, ac yn troi'n sydyn ar ei sawdl bob hyn a hyn.

"Beth ydych chi'n wneud?" gofynnodd Sam iddo.

"Dyma fy hobi; rwy'n ceisio gweld cefn fy mhen yn y drych," atebodd y dyn. "Fy syniad i yw, os gallaf droi'n ddigon cyflym, efallai y caf gipolwg ar gefn fy mhen. Gyda llaw, Dan Adlpoethion yw fy enw."

Roedd Sam yn dechrau blino ar yr hobïau gwirion erbyn hyn. Doedd fawr neb o drigolion Castell Marwolaeth Boenus Ac Erchyll I Bawb Sy'n Ddigon Ffôl I Feddwl Am Aros Yma yn gall, ond roedd aelodau'r Gymdeithas yma'n eithriadol o wallgo. Aeth Sam allan o'r ystafell, gan osgoi dyn o'r enw Dan Anfantais a oedd yn adrodd ei hunangofiant i'w frws dannedd, a Dan Do, aelod arall o'r Gymdeithas, a oedd yn ceisio dysgu ei ambarél i wneud triciau.

Ar y ffordd allan, trawodd Sam yn erbyn dyn tew iawn, ac ymddiheurodd y ci am fwrw i mewn iddo. "Fy mai i oedd e," meddai'r gŵr tew. "Doeddwn i ddim yn edrych i ble roeddwn i'n mynd. Ond arhoswch funud; dyna gyd-ddigwyddiad od. Fe gefais freuddwyd amdanoch chi neithiwr. Dyna yw fy hobi, welwch chi – breuddwydio am bobol."

"Dyna hobi anghyffredin," meddai Sam. "Beth yw eich enw?"

"Dan yw f'enw – Dan Ddylanwad. Hoffech chi glywed am fy mreuddwyd?"

"O'r gorau, ond fe hoffwn fynd o'r castell 'ma. Oes 'na ffordd allan?"

"Oes – fe awn yno tra byddaf yn sôn am fy mreuddwyd. Gyda llaw, dyma fy nghyfaill, Dan Tmelys. Ei hobi ef yw peidio â siarad."

Cerddodd y tri i lawr y coridorau tra oedd Dan Ddylanwad yn siarad am ei freuddwyd. Dywedodd iddo freuddwydio fod Sam yn hedfan mewn llyfr i lawr ochr llyn sych, a'i fod hefyd yn bwyta dŵr â'i faneg. Doedd Sam ddim yn deall gair o hyn. Yna torrodd Dan Tmelys ar ei draws i ddweud fod Sam yn mynd yn ôl i Gymru yn y freuddwyd.

"Sut wyt ti'n gwybod beth sy'n digwydd ym

mreuddwydion pobol eraill?" gofynnodd Sam iddo.

"Yyy. . . ym. . . roeddwn i yn y freuddwyd hefyd," atebodd Dan Tmelys.

"Arhoswch funud," meddai Sam, a oedd yn dechrau amau'r ddau. "Roeddwn i'n meddwl nad oedd Dan Tmelys yn siarad. Mae ei lais yn debyg iawn i lais. . ."

Ar unwaith, neidiodd Dan Tmelys a Dan Ddylanwad ar Sam. Ceisiodd y ci ymladd yn ôl, ond roedd y ddau yn rhy gryf iddo, a chyn bo hir, roeddynt wedi clymu Sam â rhaff gref. Edrychodd Sam arnynt; roedd y ddau wedi eu gwisgo'n wahanol, ond suddodd calon Sam pan sylweddolodd pwy oeddynt – Rap a Twm Cwrch, ac roedd e'n garcharor diymadferth iddynt!

PENNOD NAW

EDRYCHODD SAM mewn braw ar Twm Cwrch, a oedd yn sefyll drosto. O leiaf, doedd y ddau ddim yn cario eu cyllyll, ond gwyddai Sam na allai ddisgwyl llawer o drugaredd ganddynt.

Crechwenodd Twm Cwrch, a dywedodd wrth Sam, "Roedden ni wedi dy weld yn mynd i'r gynhadledd, felly fe wisgodd Rap a finnau fel dau hobïwr. Dim ond pobol gyda hobïau dwl sy'n cael mynd yno."

"Dim ond un iaith mae'r cynadleddwyr 'ma'n ddeall," cytunodd Rap, gan wenu'n greulon.

"Pam ydych chi'n ceisio fy lladd i?" holodd Sam. "Dwyf i ddim wedi gwneud unrhyw beth i chi!"

"Dydyn ni ddim yn mynd i'th ladd di," meddai Twm Cwrch, "dim ond torri dy wddf, dy rostio, ac yna torri dy ben i ffwrdd. Fe gei di fynd adref i Gymru wedyn. Cofia fi at bawb yng Nghwm Twrch." Trodd at Rap, a dweud, "Galwa ar Zoltan, a dweud fod y ci yma'n garcharor. A dwed wrth Hagi am ddod hefyd."

"Iawn," atebodd Rap, "fe ddywedaf wrthyn nhw nawr. Dim ond un iaith mae'r ddau 'na'n ddeall."

"Pam ydych chi'n dweud hynny drwy'r amser?" gofynnodd Sam.

"Dweud beth?" meddai Rap. Ac aeth ymaith i chwilio am Zoltan a'r gwas.

Eisteddodd Twm Cwrch wrth ochr Sam, gan siarad

yn gyfeillgar am y ffordd orau i dorri gyddfau. Gwrandawodd Sam ar y gwallgofddyn heb fawr o frwdfrydedd nes i Rap ddod yn ôl, a Zoltan a Hagi gydag ef. Chwarddodd Zoltan pan welodd Sam wedi ei glymu; dechreuodd ddweud wrth y ci druan sut roedden nhw'n mynd i'w lofruddio, tra oedd Rap a Twm Cwrch yn crechwenu yn y cefndir.

Wedyn, dechreuodd y dihirod fwyta eu swper; unwaith eto, roedd y bwyd yn ardderchog, a gadawsant i Sam gael peth ohono. Daeth dwy forwyn newydd i weini wrth y bwrdd; roedd un yn arbennig o dew, yn cael trafferth i ddod trwy'r drws, a bron â llenwi'r ystafell gan ei bod mor fawr. Roedd hi'n fwy o faint na Twm Cwrch, hyd yn oed. Am y llall, ni stopiodd gwyno o'r eiliad y daeth i mewn i'r ystafell, dim ond conan, achwyn, tuchan a chwyno am bawb a phopeth.

"Rho'r gorau i dy rwgnach, Ann," meddai'r forwyn dew.

"Grwgnach! Fe fyddet tithau'n grwgnach hefyd petait ti'n gorfod dioddef fel fi! Gorfod aros mewn rhyw hen le fel hyn, a gwisgo hen ddillad brwnt, a chario pethau trwm. . ." Ni pheidiodd y forwyn ag achwyn am funud.

"Diolch am y bwyd, forynion," meddai Sam wrthynt ar ôl iddynt roi swper iddo. "Beth yw eich enwau?"

"Ann Fodlon wyf i," meddai'r forwyn gwynfanllyd.

"Ac Ann Ferth yw f'enw i," meddai'r forwyn dew.

Agorodd Sam ei geg i ddweud mwy, ond yn sydyn, fe lamodd Hagi ar ei draed, a gweiddi ar dop ei lais,

"Y CI DEFAID! RYDYCH CHI WEDI'I DDAL E!"

"Mae e wedi bod yma ers awr! Nawr rwyt ti'n sylwi arno?" gofynnodd Rap.

"Sylwi ar beth, Meistr?" gofynnodd Hagi, a'i fys yn ei geg.

"Paid â phoeni," meddai Twm Cwrch wrtho. "Zoltan, dos i nôl y cyllyll o'r ystafell arfau. A gwna'n siŵr eu bod yn finiog. Mae angen setlo'r ci defaid yma unwaith ac am byth."

"Ond allwn ni ddim ei ladd eto," meddai Rap. "Cofiwch fod yr hobïwyr yn dal i fod yma. Rhaid i ni aros tan fory."

"Na, does dim rhaid i ni aros," ebe Zoltan. "Mae'r hobïwyr ar fin gadael. Maen nhw am fynd cyn i'r Llysgenhadon Tramor gyrraedd."

"Beth! Y Llysgenhadon Tramor!" ebychodd Twm Cwrch. "Does bosib eu bod nhw'n dod yma?"

"Nac ydyn, dim ond defnyddio'r maes parcio fel man cyfarfod maen nhw. Fyddan nhw ddim yn dod i mewn i'r castell o gwbwl."

"Diolch byth am hynny! Y peth olaf sydd ei angen arnon ni yw rhyw fintai o bobol fusneslyd yn ceisio rhoi eu trwynau hir lle nad oes croeso iddyn nhw! Gwna'n siŵr fod y drws ffrynt wedi'i gloi, a phaid â gadael neb i mewn!"

Aeth Rap a Zoltan allan i gyflawni gorchmynion Twm Cwrch. Eisteddodd Twm ar gadair freichiau fawr, a dechrau darllen y papur newydd. Roedd fel petai wedi anghofio'n llwyr am Sam. Safai Hagi yng nghanol yr ystafell, yn edrych o'i flaen a'i geg yn agored. Gwingodd Sam yn erbyn y rhaff, a theimlodd ei fod yn cael peth llwyddiant. Cyn hir, roedd yn ffyddiog y gallai ddianc o'i gaethiwed, ond am y ffaith fod Twm Cwrch a Hagi rhyngddo ef a'r drws. Yna, cofiodd am y dabled a gafodd gan y dreigiau. Roedd honno'n ddiogel yn ei boced; dim ond iddo ei llyncu, a byddai'n gallu anadlu tân am hanner awr!

Yn dawel bach, sleifiodd Sam y dabled i'w bawen. Roedd yn rhaid iddo fod yn ofalus; dim ond am hanner awr y byddai'r effaith yn para, felly doedd dim diben cymryd y dabled yn rhy fuan.

Arhosodd yn amyneddgar nes i Zoltan ddychwelyd. Cyn hir, dyma fe'n dod i mewn.

"Mae Rap yn cadw gwyliadwriaeth ar y drws ffrynt," meddai Zoltan. "All neb ddod i mewn. Mae'n bryd i ni dorri gwddf y ci yma nawr."

"O'r gorau," meddai Twm Cwrch. "Hagi – rho'r gyllell i mi."

Fel y gellid disgwyl, ymateb Hagi oedd dweud, "Pa gyllell, Meistr?" ond wedi i Twm Cwrch ei ddarbwyllo mai'r gyllell oedd yn ei law oedd ganddo mewn golwg, ufuddhaodd y gwas. Camodd Twm Cwrch at Sam, ac yna llyncodd y ci y dabled. Teimlodd rhyw gynhesrwydd y tu mewn iddo, agorodd ei geg i anadlu, a saethodd fflamau o'i safn!

"Help, Meistr! Mae'r ci 'ma'n anadlu tân!"

gwaeddodd Hagi, gan neidio o dan y gadair freichiau. Camodd Zoltan yn ôl yn frysiog , ac roedd ar Twm Cwrch, hyd yn oed, ofn nesáu at y ci defaid. Anadlodd Sam ar y lliain bwrdd nes iddo fynd yn wenfflam, a cheisiodd y dihirod ddiffodd y fflamau drwy daflu dŵr arnynt. Yn anffodus, taflodd Hagi betrol ar y goelcerth, a bu'n rhaid i Twm Cwrch a'i griw ffoi am eu bywydau i nôl deunydd diffodd tân, rhag ofn i'r tân ledu. Doedd ganddyn nhw ddim amser i feddwl am Sam, a manteisiodd y ci ar y cyfle i ddianc o'r ystafell.

Aeth Sam allan i'r cyntedd, yn dal i anadlu tân, ac roedd yn chwilio am y brif fynedfa pan ddaeth morwyn arall ar ei draws.

"Beth ydych chi'n wneud?" gofynnodd y forwyn. "Allwch chi ddim smygu yma."

"Nid smygu ydw i, ond anadlu tân," oedd ateb Sam.

"O, o'r gorau," meddai'r forwyn. "Does dim yn rhwystro pobol rhag anadlu tân yma. Maddeuwch i mi."

"Popeth yn iawn," meddai Sam. "Gyda llaw, allwch chi ddweud wrthyf sut i gyrraedd y brif fynedfa?"

"Gallaf – trowch ar y dde wrth y drws du yna, ac wedyn cymerwch yr ail dro ar y chwith. Dyw e ddim yn bell iawn."

"Diolch yn fawr," meddai Sam. "Beth yw eich enw?"

"Ann yw f'enw i – Ann Hepgorol."

"Diolch o galon, Ann Hepgorol," meddai Sam, gyda rhyddhad. Aeth ar hyd y llwybr a ddisgrifiwyd gan y forwyn. Cyn bo hir gwelodd Rap yn y pellter yn sefyll wrth y drws ffrynt, a charlamodd Sam tuag ato. Cododd Rap ei gyllell yn fygythiol, ond wedi i Sam anadlu tân arno, rhedodd i ffwrdd gan sgrechian. Roedd yn amlwg i Sam mai dim ond un iaith oedd Rap yn ddeall!

Agorodd Sam y drws ffrynt mawr, a rhedodd allan. O'r diwedd, roedd wedi dianc o'r castell! Ceisiodd anadlu tân i losgi'r castell felltith i'r llawr, ond gan fod y castell wedi ei adeiladu o garreg, ni chafodd fawr o lwc. Teimlodd hefyd nad oedd y fflamau mor gryf ag o'r blaen; rhaid fod y dabled yn colli ei nerth. Rhedodd Sam i lawr y llwybr at y maes parcio. Yno, gwelodd nifer fawr o bobol bwysig yr olwg yn siarad a dadlau gyda'i gilydd. Dyma'r Llysgenhadon Tramor, meddyliodd y ci, a rhedodd atynt gan chwilio am loches.

Yn ffodus i Sam, gwelodd ei gyfaill Andy, Llysgennad Prydain i Romania, a'i wraig Shân wrth ei ochor. Roedd Andy yn dal cwpan arian yn ei law, ac yn rhoi araith yn diolch i'r Llysgenhadon eraill am ei ethol yn "Llysgennad Y Flwyddyn". Roedd y mwyafrif o'r llysgenhadon eraill yn cymeradwyo a churo dwylo, ond roedd ambell un yn grwgnach ac yn cwyno.

Gwelodd Shân Fach Sam yn rhedeg o gyfeiriad y castell, a thynnodd sylw Andy ato. Erbyn hyn, roedd Sam wedi stopio anadlu tân, a gofynnodd i Andy a Shân ei achub. Aeth y tri heb oedi dim at gar Andy, a dechau gyrru drwy'r dorf o lysgenhadon. Roedd rhai yn eiddigeddus iawn o Andy, a gwnaethant eu gorau glas i'w rwystro.

Taflodd Llysgennad Irác i Nigeria lwmp o bridd at y car, a lluchiodd Llysgennad Zimbabwe i Wlad yr Iâ botel o sudd oren. Yn y cyfamser, dechreuodd Llysgennad Seland Newydd i Sierra Leone ymladd efo Llysgennad Japan i Morocco. Gwthiodd Llysgennad India i'r Eidal Lysgennad China i Sawdi Arabia o flaen car Andy, a bu'n rhaid i Andy droi'r olwyn yn sydyn i'w osgoi. Erbyn hyn, roedd y llysgenhadon i gyd yn ymladd â'i gilydd, a'r peth olaf i Sam ei weld wrth i'r car fynd o olwg Castell Marwolaeth Boenus Ac Erchyll I Bawb Sy'n Ddigon Ffôl I Feddwl Am Aros Yma oedd dwrn Llysgennad Ffindir i Chad yn glanio yn llygad Llysgennad Uganda i Brasil.

Gyrrodd Andy a Shân Fach Sam yn syth i'r maes awyr, ac i ffwrdd ag ef ar yr awyren nesaf i Gymru, gan dyngu llw na fyddai byth eto yn mynd i Dransylfania ar ei wyliau!